НЕТ ЗАПРЕТНЫХ ТЕМ!

Ольга Володарская

ДЕФИЛЕ НАД ПРОПАСТЬЮ

ЭКСМО

Москва
2015

УДК 821.161.1-312.4
ББК 84(2Рос=Рус)6-44
    В 68

Оформление серии *В. Терещенко*

Володарская, Ольга.
В 68   Дефиле над пропастью : [роман] / Ольга Володарская. — Москва : Эксмо, 2015. — 320 с. — (Нет
запретных тем. Остросюжетные романы О. Володарской).

    ISBN 978-5-699-79283-2

Коко и Алиса. Две эти женщины по-настоящему дружили, хотя принято думать, что женской дружбы не бывает. Дружили, несмотря на то что первая годилась второй в
бабушки! Но дамы, молодая и зрелая, прекрасно ладили.
И имели один общий титул — КОРОЛЕВА. Только Коко
носила его много лет назад, а Алиса — сейчас: некогда самая знаменитая манекенщица Советского Союза помогла
высокой нескладной девочке с кучей комплексов стать моделью и взойти на престол. А сама прозябала в забвении,
пока некто вновь не посадил ее на трон...

    Уже мертвую! Он убил Коко, сделал несколько ее пор-
третов и разослал их в журналы. Чего он этим добивался?
Хотел прославить Коко посмертно? Или жаждал славы
сам? Алиса не знала. Но чувствовала: опасность угрожает
и ей, нынешней королеве подиума...

УДК 821.161.1-312.4
ББК 84(2Рос=Рус)6-44

ISBN 978-5-699-79283-2

Часть первая

Глава 1

Алиса

Высоченные каблуки, красная подошва.

Тонкие колготки телесного цвета. Их как будто нет.

Юбка-карандаш из замши. Облегает так, что видно, как играют мышцы бедер при ходьбе.

Короткое манто из щипаной норки. Выглядит скромно, но стоит запредельно.

Под ним обычная кашемировая водолазка. Кто не разбирается в хороших вещах, и не поймет, что эта скромная на вид вещица настолько солидна, что в ней не стыдно зайти в самый статусный ресторан Москвы.

Алиса приостановилась у витрины магазина, чтобы бросить взгляд на свое отражение...

Хороша! Волосы рассыпались по плечам так естественно, будто их растрепал ветер, а не стилист Стасик, что трудился над Алисиной прической часа два.

На лице никакой косметики, кроме блеска на губах. И все равно оно выразительно. Точеные скулы, длинный тонкий нос, глаза-вишни и черные надломленные брови. Если Алиса убирала от природы золотистые волосы под платок и поворачивалась в профиль, то походила на Нефертити.

На одной рекламной фотосессии она именно ее и изображала. Причем так убедительно, что заказчик, выходец с Ближнего Востока, принял ее за свою и, когда их познакомили, обратился к Алисе по-арабски.

Когда она рассказала об этом бабушке, единственной близкой своей родственнице, та заметила, что в этом нет ничего удивительного. Ее отец, то есть прадед Алисы, оказывается, был ливийцем. Мать — русской. И дочь от этого смешанного брака унаследовала славянскую внешность. Ее дети также. А вот у внучки проявились арабские гены. Она единственная из родственников родилась черноглазой, густобровой и носатой. О да! В детстве и даже юношестве на лице Алисы выделялся именно он — нос. Потом, когда она повзрослела, стала крупнее, он уже не бросался в глаза. Вот только комплекс остался...

Справиться с ним оказалось не так просто. Вот вроде бы ты симпатичная, у тебя шикарные волосы, удивительные глаза, губы пухлые, длинные ноги, осиная талия... А ты, когда смотришь на свое отражение, ничего этого не замечаешь. Один огромный нос! Он как будто тень на все достоинства отбрасывает, и они перестают быть заметными. По крайней мере для того, кто смотрится в зеркало.

Сама Алиса не справилась бы с этим комплексом. Но ей повезло. Она встретила человека, который вселил в нее уверенность в собственной неотразимости. Это произошло девять лет назад. Алисе тогда едва исполнилось семнадцать. Она сидела в кафе большого торгового центра, пила зеленый чай и без аппетита ела пирожное. Это было ее любимое, миндальное. Обычно Алиса его уминала за обе щеки. Но в тот день аппетита не было из-за дурного настроения. Стоял апрель. До конца учебного года всего ничего. Потом выпускные экзамены, получение аттестата, выпускной... А что дальше?

Алиса понятия не имела, что ей делать по окончании школы. В институт поступать? Но на бюджетное отделение она не попадет — знаний не хватит, а на платном учиться не сможет, поскольку бабушкиной пенсии и ее пособия по потере кормильца (мама погибла в аварии, а отец сгинул давным-давно) хватало только на самое необходимое. Любимое миндальное пирожное, к примеру, и чашку чая в заведении, в котором она на данный момент находилась, Алиса позволяла себе раз в месяц.

Значит, надо искать работу. Но кто ее возьмет на нормальное место? Мало того, что без образования, так еще и малолетка. Восемнадцать только в январе следующего года исполнится.

— У вас свободно? — услышала Алиса чуть хрипловатый женский голос и оторвалась от своих грустных мыслей.

Подняв глаза, она увидела элегантную пожилую женщину. Пожалуй, она была ровесницей Алисиной бабушки, которой перевалило за шестьдесят, но выглядела иначе. Да, те же морщины, седина в волосах, выдающая возраст пигментация на коже, вот только, даже несмотря на это, назвать женщину старушкой язык не поворачивался (семнадцатилетней Алисе женщины за сорок уже казались пожилыми). Это была дама солидных годов. Именно так, и никак иначе. Серебристые волосы собраны в высокую прическу, лицо подкрашено чуть-чуть, но все черты выделены, в ушах скромные сережки, но камни в них так сверкают, что ясно — это не просто стекло. Одета женщина тоже неброско, но элегантно. Изумрудного цвета трикотажное платье по фигуре, на шее шарфик из шелка, на ногах ботильоны на устойчивых каблуках с кокетливой пряжкой, через руку перекинуто светлое полупальто. А какая осанка! Бабушка обычно про тех, кто так спину держит, говорила — как лом проглотил. А Алисе нравилось, когда люди ровно спину держали. Сама она сутулилась, поскольку была очень высокой. Однако пожилая женщина, материализовавшаяся возле ее столика, была если и ниже, то ненамного.

— Так вы позволите мне сесть за ваш стол? — спросила она. — А то все заняты...

— Да, конечно, — выпалила Алиса, зачем-то схватив с соседнего стула свой рюкзак и переложив его на колени.

— Благодарю вас. — Женщина поставила на столик чашку с кофе. Черный, без сахара, но с корицей. Она пила только такой, как выяснилось потом. — У вас что-то случилось? — спросила она, усевшись. Полупальто было аккуратно повешено на спинку освобожденного Алисой стула.

— Нет. Все нормально у меня.

— А почему тогда вы такая грустная? И едите плохо. Я обратила на вас внимание сразу, как вошла.

— Потому что я единственный грустный и плохо кушающий человек в этом заведении?

— Нет. Самый красивый.

Алиса едва не поперхнулась чаем.

— Какой? — переспросила она, поставив чашку на стол.

— Вы прекрасно расслышали, — улыбнулась женщина. — И если судить по вашей реакции, то вы не считаете себя красавицей.

— Конечно, нет!

— Почему?

— У меня огромный нос!

— А у меня, как вы считаете?

— У вас очень красивый.

— Но он очень похож на ваш. — Она протянула руку, на которой поблескивало старинное кольцо из серебра. — Давайте знакомиться. Меня зовут Коко.

— Алиса. — Девушка пожала ладонь Коко. Она оказалась мягкой, но очень холодной. — А вас так в честь Шанель назвали? — поинтересовалась Алиса.

— Это мое прозвище. Зовут же Викторией. Но сокращенное, Вика, как-то ко мне не прилипло. А вот Коко — да. Да, хотела еще спросить у вас... Как вам мои уши? Не находите их слишком большими?

— Нет, — растерянно ответила Алиса.

— Но они же торчат.

— Да, немного, — вынуждена была согласиться Алиса. Коко оказалась лопоухой. — Но это вас не портит. Я бы даже сказала, что вам идут именно такие уши.

— Вот видите. То, что мы считаем изъяном, может оказаться нашей изюминкой. — Коко отхлебнула кофе. Чашки она коснулась так аккуратно, что на ней не осталось следа помады. — И почему же грустит такая очаровательная девушка? Неужели из-за парня?

Алиса мотнула головой. А затем озвучила новой знакомой свои недавние мысли.

— Тут и думать нечего, вам нужно заняться модельным бизнесом, — уверенно заявила Коко, дослушав Алису. — У вас есть все данные, чтобы добиться успеха в мире фэшена. Неужели вы не думали об этом?

— Нет, — честно призналась Алиса. Да, она была высокая и худощавая, но не все же девушки подобного типа думают податься в модели.

— У меня есть друг-фотограф, хотите, я познакомлю вас? Он сделает вам портфолио совершенно бесплатно.

Алиса напряглась. Что еще за бесплатный сыр?

— Да вы не пугайтесь! — Коко похлопала Алису по руке. — Ни мне, ни моему другу ничего от вас не нужно. Ни денег, ни сексуальных или любых других услуг. Я просто хочу вам помочь, а он выполнит мою просьбу, поскольку мы сто лет знакомы. Когда-то он снимал меня.

— Вы были моделью?

— Манекенщицей, — поправила Коко. — Тогда нас именно так называли.

— Мне кажется, я видела вас в журналах!

— Вряд ли. Я перестала работать еще до того, как вы появились на свет.

— Они и были выпущены еще до моего рождения. Их мама в молодости выписывала. И хранила. Она сама шила себе одежду и пользовалась выкройками оттуда. Я обожала в детстве листать журналы о моде.

— Значит, вас бессознательно тянуло в этот мир. Алиса, поверьте, вы сможете достичь успеха в качестве модели. У меня наметанный глаз. Так что... попробуете?

Алиса не очень уверенно кивнула.

Спустя два дня она уже знакомилась с другом Коко, Васко, он был хорватом. Невысокий, упитанный, невероятно обаятельный человек с копной крашенных в каштановый цвет волос и причудливо выбритой бородкой, он очень старался выглядеть молодо. Алиса дала ему шестьдесят. Ему столько и было. Но Васко считал, что дать ему можно максимум сорок.

В Коко он был стопроцентно влюблен. Смотрел на нее как на высшее существо. Она была с ним ласкова. Но не более. Поощрила за помощь Алисе поцелуем, и Вася (Виктория называла его именно так, на русский манер) принял этот «гонорар» с благодарностью. Когда-то он был очень востребован как фотограф. Но времена изменились, и для того, чтобы оставаться таким, мало просто хорошо снимать. Надо фонтанировать идеями, удивлять, даже шокировать. А Васко мог только лишь делать красивые снимки красивых людей, предметов, растений. Поэтому в последние годы снимал для каталогов.

Портфолио, что он сделал для Алисы, оказалось изумительным. Его оценили в первом же модельном агентстве, которое она посетила опять же с подачи Коко. Его держала давняя приятельница Виктории, тоже бывшая манекенщица Элена.

— Васко делал? — спросила она у Алисы, пролистав журнал. Та кивнула в ответ. — Отличные снимки. И вы на них превосходно выглядите. В жизни, впрочем, тоже неплохо. Вот только одеваетесь отвратительно. Но это поправимо. Над стилем обязательно поработать надо.

— А что с ним не так?

— Зачем вы красите волосы в черный цвет? А брови выщипываете?

— Мне кажется, так лучше.

— Вам кажется. Вернитесь к естественности. Вы от природы хороши. И не носите мешковатых штанов и грубых ботинок. Вам следует подчеркивать фигуру и демонстрировать изящную ножку. Редко женщина вашего роста может похвастаться маленьким размером ступни, а у вас максимум тридцать восьмой.

— Тридцать семь с половиной...

— А о том, что необходимо перестать сутулиться, вы и без меня знаете.

— Так ты берешь ее? — вступила в разговор Коко, которая пришла на встречу вместе с Алисой, но все время помалкивала, держась в стороне.

— Да. Девочка перспективная, возьму.

Так Алиса попала в модельный бизнес.

Работать она начала, еще будучи школьницей. Поучаствовала в двух показах и одной фотосессии, заработала копейки, но и им была рада.

Настоящий успех к Алисе пришел спустя полтора года, когда ее сняли для обложки русского «Вог», а крупный косметический бренд заключил с ней долгосрочный контракт. Эти два события, произошедшие в один месяц, Алиса отметила с Коко. Купила бутылку шампанского «Мадам Клико» (раньше она не могла себе позволить его, а Виктория не пила ничего другого), корзину фруктов и отправилась в гости к своей крестной фее. О да, Алиса часто называла ее именно так, потому что, по сути, Коко сделала для нее то же, что и крестная Золушки, — помогла попасть на «бал». Причем не обладая волшебным даром и не ставя временных ограничений.

С тех пор это стало доброй традицией — отмечать важные события бутылочкой французского шампанского и фруктами. Коко их не ела, но обожала нюхать. И на стол в качестве украшения всегда ставила не цветы, а фрукты. Поэтому Алиса их и приносила в красивых корзинах.

Но сегодня она шла к Коко без гостинцев. И не потому, что нечего было отметить, как раз напротив, просто «фея» настояла на этом. Сказала: не покупай ничего, я должна поделиться с тобой чем-то очень важным, мне нужно сохранять трезвость ума и не отвлекаться на мелочи типа приятных запахов. О чем пойдет речь, Коко по телефону не сообщила. Сказала: все при встрече. И назначила ее на шесть вечера. Сейчас было уже пять минут седьмого, и Алиса очень торопилась, знала, как Виктория не любит непунктуальности. Сама она, как истинная королева, всегда была точна.

Алиса подошла к дому, в котором проживала Коко. То была сталинская высотка, очень престижная. Квартиру в ней Виктория получила благодаря своему поклоннику — члену правительства, с которым по молодости крутила роман. Этот пожилой человек обожал красивых барышень юного возраста, менял их довольно часто по причине того, что они быстро старились (а прелесть девичью, по его мнению, они теряли, разменяв третий десяток), но никого не обижал и на прощание одаривал чем-то ценным. Коко повезло больше остальных. Ей досталась квартира. Но она и задержалась в любовницах партийного бонзы дольше остальных. Он оставил Коко, когда ей стукнуло двадцать пять.

Алиса набрала на домофоне код квартиры и стала ждать, когда ей откроют. К ней тут же подошел мужик потрепанного вида — не бомж, но явно крепко попивающий. Хотя в данный момент от него алкоголем не пахло, но руки его потрясывались, видимо, с похмелья. Он протянул их к Алисе. Она вытащила из кармана сотенную купюру и сунула в ладонь пьяницы. Ей хотелось поскорее попасть в подъезд, чтоб отвязаться от него. Однако дверь оставалась закрытой. Коко с возрастом стала глуховатой, и если находилась, например, в ванной, где лилась вода, то не слышала звонков. К счастью, у Алисы имелся ключ от квартиры. Коко вручила его ей два года назад. Тогда она перенесла микроинсульт и крайне плохо себя чувствовала: была слаба, все больше лежала в кровати и ничего не ела. Алиса навещала ее каждый день. Даже отказалась от выгодного заграничного контракта, чтобы не терять этой возможности. Кроме Коко, у нее никого близкого не осталось — бабушка умерла в прошлом году. Когда женщина поправилась, ключ было решено оставить у Алисы.

Открыв дверь, она шмыгнула в подъезд. Консьерж тут же вскочил и бросился к Алисе. На вид ему было около тридцати. Молодой. До этого в доме консьержи были пенсионного возраста. Обоих Алиса знала. Этот, тридцатилетний, был новеньким, судя по всему.

— Добрый вечер, — поприветствовал Алису парень. — Разрешите представиться, Андрей. Вы из какой квартиры, могу я узнать?

— Из восьмидесятой, — бросила Алиса на ходу. Она опаздывала и тратить время на объяснения, кем она приходится хозяйке этой квартиры, не собиралась.

— Вы внучка Виктории Андреевны?

Алиса в ответ кивнула и вошла в лифт. Пока поднималась, рылась в сумке. Сегодня это была вместительная котомка от «Гуччи», в ней небольшие предметы терялись. Наконец Алиса нащупала бархатную коробочку размером со спичечный коробок. В ней лежало кольцо. На вид довольно простое, изготовленное из серебра, с тусклым зеленым камнем. Кто не разбирался в антиквариате, оценил бы его максимум в тысячу. На самом же деле оно стоило пять. И не рублей, а долларов. Старинная вещь. С историей. Коко его подарил первый муж, а ему оно досталось в наследство от матери, которая в свою очередь получила его в качестве презента от грузинского князя, родственника Нины Чавчавадзе, жены Грибоедова, коей оно и принадлежало когда-то.

Коко очень им дорожила. Хотя носила редко — не ее стиль. Как-то Элена, та самая хозяйка модельного агентства, предложила подруге продать его ей. Но Коко отказалась, хотя та давала хорошие деньги, а в них Виктория последние годы нуждалась. Перестав сниматься в сорок, она больше не работала. Ее содержали мужья. Но последний, четвертый по счету, скоропостижно скончался десять лет назад. Все, что он нажил, досталось его детям от первого брака. Коко — лишь украшения, что он дарил ей. Благо таковых было немало, и она, продавая их, могла вполне сносно существовать. Надо сказать, запросы Коко были довольно скромны, хоть и не скудны. Она хорошо питалась, исправно платила за квартиру, покупала необходимые мелочи, посещала кофейни, ездила на такси, поскольку презирала метро, и раз в году летала к морю.

Алиса несколько раз спрашивала у Коко, не нуждается ли она в финансовой помощи, и та всегда отвечала отрицательно. Однако позавчера, зайдя в антикварную лавку, Алиса увидела на витрине ТО САМОЕ кольцо! Серебряное, с тусклым зеленым камнем. Алиса сомневалась, что существует другое такое. Значит, Коко сдала его. Но почему? Ответ напрашивается один: нуждалась в деньгах. Но что ей мешало продать его подруге? Не хотела видеть дорогую для себя вещь на руке другой, чтобы не расстраиваться? Или же не желала, чтобы кто-то знал о ее финансовых проблемах? А потом еще этот звонок и приглашение для серьезного разговора...

Алиса купила ТО кольцо. Чтобы вернуть его Коко. И пусть только попробует не взять...

Сунув коробочку в карман, Алиса вышла из лифта. Дверь в квартиру Коко находилась как раз напротив. Она надавила на звонок. Но ей опять не открыли. Пришлось отпирать самой.

— Коко, это я! — прокричала Алиса, зайдя в квартиру.

В прихожей света не было, она включила его и стала разуваться.

Квартира у Коко была просторной, хоть и двухкомнатной. Алисе она нравилась. Даже то, что последний раз она ремонтировалась двадцать лет назад, ее не смущало. Да, дизайн устарел, обои и паркет вытерлись, оконные рамы рассохлись, и когда на улице дули ветра, в квартире было прохладно. Но все это мелочи. С ними можно было легко мириться. Главное — это энергетика. А она в квартире Коко была удивительно приятной.

Алиса сунула ноги в мягкие тапки и пошлепала в комнату, где горел свет и звучала рекламная музыка. Из ванной шума воды не доносилось, значит, Коко не там. Наверняка задремала перед телевизором, вот и не слышала звонков. Такое тоже с ней случалось.

Алиса толкнула дверь и вошла в комнату.

Оба окна зашторены. Портьеры тяжелые, велюровые, с бахромой. Мебель в викторианском стиле. Не антикварная, а сделанная на заказ по эскизам самой Коко. На стенах картины в золоченых рамах. Опять же не имеющие ценности, но дорогие сердцу хозяйки, их писал ее второй муж. Элена любила говорить, оказываясь в этой комнате, что в ней попахивает нафталином. И предпочитала сидеть с хозяйкой в более-менее современной кухне. Или в простенькой светлой спальне. А вот Алисе нравился именно этот «викторианский» зал.

Обычно они с Коко усаживались в кресла, между которыми стоял журнальный столик — на него они ставили шампанское и фрукты. Реже —

на диван. Это когда в квартире было прохладно и хозяйка заматывалась в плед. И никогда Алиса не видела, чтобы Коко сидела на стуле. К слову, единственном. Он больше напоминал трон и был подарен Виктории Васко и Эленой на день рождения. Стоил он дорого, поэтому друзьям пришлось скинуться. Коко сделала вид, что от презента в восторге, хотя он ей категорически не нравился. Жесткий, неудобный, громоздкий. Одно достоинство — старинный. Элена считала, что уже это делало его идеальным подарком. А Васко давно мысленно короновал Викторию, поэтому посчитал таковым стул, похожий на трон.

Сейчас Коко восседала на нем!

Грациозная поза. Красивая одежда. В высокой прическе — испанский гребень. Губы ярко накрашены. Коко будто позировала невидимому фотографу.

Алиса сделала шаг по направлению к Виктории, но тут же отпрянула...

Глаза!

Они безжизненны...

В них пустота.

Коко мертва?

Нет, это невозможно! Покойники не сидят с прямой спиной, закинув ногу на ногу. Не держат голову ровно и не скрещивают пальцы опущенных на подлокотники рук на коленях.

Вдруг...

Голова Коко резко опустилась на грудь. И все тело накренилось.

Алиса увидела, что к спинке кресла приделан металлический полукруг. Благодаря ему голова и держалась — он обхватывал шею, но ослабился.

Все сомнения отпали... Коко мертва! Алиса стала шарить глазами по ее телу в поисках ран.

Но не нашла их. Естественная смерть? Возможно. Вот только кто усадил покойницу на трон, задействовав нехитрые приспособления, позволяющие ей восседать на нем красиво? А главное — зачем?

...За Алисиной спиной послышались шаги. Тихие-тихие. Если бы по телевизору по-прежнему показывали рекламу, она бы не услышала их. Но ее сменил старый фильм с обилием немых сцен.

Шаги приближались. Алиса внутренне сжималась, пока не превратилась в маленькое дрожащее от страха существо. В ее сумке не было ничего, что можно было бы применить для защиты, — шокера или баллончика с газом. Даже маникюрных ножниц, щипчиков, пилки для ногтей, лака для волос, дезодоранта с пульверизатором, духов. Сапожки на шпильке и те в прихожей остались. А то можно было бы ткнуть каблуком в голень.

Немая сцена закончилась. Герои фильма начали диалог. Их голоса заглушили шаги.

Страх парализовал Алису. Она всегда терялась в экстремальных ситуациях, а в такой опасной ей еще не приходилось оказываться. А тут еще металлический полукруг, обхватывающий руку Коко, чтобы удержать ее на подлокотнике, расслабился, и она разогнулась. Тело накренилось. На мгновение Алисе показалось, что мертвая Виктория собирается встать. Как зомби в фильмах ужасов.

Представив эту кошмарную сцену, Алиса почувствовала себя дурно. Ее затошнило. В глазах стало темно. Она ни разу в жизни не теряла сознания, поэтому не поняла, что именно сейчас произойдет с ней. В следующую секунду она без чувств рухнула на пол...

Глава 2
Васко

Он стоял перед зеркалом и смотрел на свое отражение. Вид усталый. И какой-то потрепанный. Хотя борода в идеальном состоянии, как и волосы. Салон он посетил только позавчера.

Достав из ящика трюмо баночку с кремом, Васко открутил крышку и зачерпнул пальцем немного так называемой сыворотки мгновенной красоты. Стоила она космически дорого, была гормональной, а значит, вызывала привыкание, поэтому пользовался он ей в крайних случаях. Перед особенно важными выходами в свет наносил на лицо и шею. Кожа мгновенно подтягивалась и начинала сиять. Эффект длился несколько часов — от трех до пяти. А если следить за лицом, не хмуриться, широко не улыбаться, то и шесть, семь. Почти все возрастные люди сидели на подобных сыворотках. Даже те, кто уже делал пластику. Та же Элена. Именно она порекомендовала чудо-крем своим друзьям — Васко и Коко. Но последняя, испробовав его, осталась недовольна. Сказала: это все равно что клеем лицо намазать. И продолжала пользоваться любимым кремом «Балет».

Васко начал втирать сыворотку в лицо. Шею сегодня мазать не будет из экономии. Ее можно шелковым платком обмотать, и морщин не будет видно. А дряблый подбородок отлично замаскирован бородой. Не зря он все же ее отрастил!

Васко приехал в Советский Союз из Югославии в семидесятых. Тогда он был молод, строен, подвижен и невероятно хорош собой: каштановые кудри, ореховые глаза, белозубая улыбка от уха до уха. В Москве он учился в Институте физической культуры и спорта. Участвовал в соревнованиях по легкой атлетике. Чтобы заработать на жизнь, тренировал детишек. И все успевал! В том числе крутить сразу несколько романов.

Когда Васко учился на третьем курсе, его пригласили поучаствовать в фотосъемке для журнала мод, продемонстрировать спортивную одежду. Никого не смутило, что Васко был невысок. Главное, гармонично сложен и симпатичен. Вот только девушка, участвовавшая в съемке вместе с ним, не обрадовалась. Она была выше парня на полголовы. И требовала, чтоб его ставили на табурет перед тем, как сделать кадр. Однако ей это не помешало отдаться Васко сразу после съемок в тесной гримерке.

Девушку звали Эленой, и она стала добрым его другом. Но не сразу...

До этого она пребывала в статусе его врага.

А еще ранее — невесты.

Она была невероятно хороша собой. Настоящая нордическая красавица: высокая, тонкокостная, белокожая, с гривой пепельно-русых волос, голубыми глазами, точеными чертами чуть суховатого лица. Пожалуй, родись она несколькими десятилетиями ранее и не в Советском Союзе, а в Германии, откуда пошли ее корни, именно Элену бы признали воплощением истинной арийки и сделали звездой. Васко хорошо представлял ее на пропагандистском плакате времен Третьего рейха: в форме офицера СС, с гладко зачесанными волосами, пронзительными глазами, смотрящими вдаль, и поднятой в приветственном жесте рукой. В Стране же Советов типаж Элены не был так востребован. Манекенщицы были покрепче, пониже, порумянее. Больше ценились улыбчивые шатенки с кругленькими лицами. Поэтому у Элены было не так много работы. Но поскольку она в деньгах не особо нуждалась, так как ее мама была главбухом крупного универмага, девушка снималась и выходила на подиум скорее для удовольствия.

Она влюбилась в Васко с первого взгляда. А вела себя с ним на фотосессии не лучшим образом, потому что растерялась. До этого никто так не трогал ее сердце. Да, у нее были мужчины, и все они ей нравились, но не до дрожи в коленях. Последним ее избранником был сын известного режиссера, мэтра, сам учащийся во ВГИКЕ. За него Элена не прочь была выйти замуж. Потому что достойная партия. Да и сам по себе интересный человек, к тому же красавец. Жгучий брюнет ростом под два метра. Вместе они смотрелись изумительно. Не то что с Васко, которому под ноги надо табурет подставлять...

Элена прислушивалась к голосу разума ровно три часа, пока длился съемочный процесс. Но когда они с Васко остались одни и он скорее из баловства, а не из желания возбудить, стал пошлепывать ее по попе, Элена вдруг поняла, что нестерпимо хочет этого маленького югослава. А так как Васко отлично считывал посылаемые женщинами сигналы, то перешел к более интимным ласкам и страстным поцелуям, после чего молодые люди занялись сексом.

Он думал, что этим все и закончится. Но нет! Элена позвонила ему через два дня, пригласила на пикник к себе на дачу. Васко согласился, он любил выезды на природу. Думал, поедут в какую-нибудь деревеньку, где разместятся в избушке, нажарят шашлычков на кирпичах, выпьют самогона. А оказалось — едут они в Барвиху. В двухэтажный дом с камином. Во дворе — беседка, мангал. В баре куча бутылок с виски, джином, мартини.

— У тебя что, папа член политбюро? — обалдело спросил Васко, совершив экскурсию по дому и участку.

— У меня его нет вообще, — улыбнулась Элена. — Мама родила меня вне брака.

— А кто она? Космонавт? Кинозвезда? Чемпионка мира?

— Нет, она бухгалтер.

Тогда Васко решил, что девушка обманывает. И либо дача не принадлежит ее семье, либо кто-то из родителей Элены является большой шишкой, но она не хочет это афишировать. Пробыв в Москве три года, он понял, что в этом городе богато живут не только члены политбюро, министры, светила, знаменитости, но и торговые работники высшего звена. Завмаги, крупные снабженцы, начальники складов. Но бухгалтеры, пусть и главные, на такие дачи не зарабатывали.

Они тогда отлично провели выходные. И решили, что, пока не наступила глубокая осень, будут ездить за город при любой возможности. Получилось где-то раз в пять дней. Когда пошли дожди, они все равно отправлялись на дачу. И ходили в старых плащах болонья и резиновых сапогах по лесу, собирая грибы. Элена научила Васко отличать сыроежки от поганок, а также видеть разницу между опятами и их ложными собратьями. Потом они вместе перебирали трофеи, принесенные с тихой охоты, мыли их, резали, жарили с картошкой и луком, а затем поедали под ледяную водочку и хрустящие огурчики, что изумительно маринует бабка, живущая в доме возле остановки.

Васко привязался к Элене. С ним она была ласкова, податлива, тепла. Но лишь наедине. На людях же демонстрировала холодность, держалась на расстоянии, даже в том случае, если они приходили вместе. Васко был иным. Если эмоции, то через край. Смех взахлеб. Слезы до надрыва души. Возмущение, протест, неприятие — искры летят! Любовь — так чтоб умереть не жалко за этого человека...

Вот только Элена этих чувств в Васко не вызывала. Ему с ней было приятно. Даже то, что она своей холодностью гасила его вспышки темперамента, со временем стало казаться положительным моментом. Он — плюс. Она — минус. Противоположности притягиваются. Два по-разному заряженных магнита прилипают друг к другу так, что не рассоединишь. Он уже стал подумывать о том, что Элена, возможно, та женщина, ради которой можно оставить остальных, как произошло непредвиденное...

Васко, обзаведшийся старой-престарой «Волгой», подъехал к ЦУМу, чтобы забрать Элену после показа. Она вышла из магазина не одна, а в компании двух подруг-манекенщиц. Три грации проследовали к машине. Забрались в салон. Элена села вперед, ее приятельницы — на заднее сиденье. Васко бросил взгляд в зеркало и обомлел. Позади него сидела фея. Все три девушки были прекрасны. Объективно самой сногсшибательной являлась его избранница, но почему-то взгляд остановился на лице другой. Она сидела позади Васко. Широкие скулы, узкий подбородок, длинный тонкий нос, огромные глаза и оттопыренные уши. Девушка напоминала летучую мышь.

— Познакомь нас, — попросил Васко.

— Лена, Вика, — представила подруг Элена. — А имя моего парня вы, девочки, знаете.

— Вика — это сокращенно от какого имени? — поинтересовался Васко, поймав взгляд «летучей мыши» в зеркале.

— Виктория, — ответила ему та.

— Это означает «победа»!

— Точно. Вот только сегодня я позорно проиграла. Меня столкнула с подиума одна овца!

— Овца? — переспросил Васко. Он знал, что это животное, и не мог представить его на подиуме.

— Да! — горячо выкрикнула Виктория. — Шла, будто не замечая, что я делаю разворот. Налетела на меня, и я потеряла равновесие...

— Свалилась в зрительный зал, — грустно констатировала Лена, упитанная, очень приятная брюнетка с глазами-вишнями. — Под ноги публики. Теперь точно на следующий показ не пригласят.

— Пригласят, — фыркнула Вика. — Овца — любовница режиссера показа. Захочет еще раз меня опустить. Но тут уж я буду настороже.

— Что ты ей сделала такого, что она тебе мстит? — спросила Элена.

— Мужика увела. Причем неосознанно. Работали вместе на показе. Модельер со мной заигрывал чаще, чем с остальными. Потом на шампанское пригласил. Я не отказалась, как-никак мое любимое — «Мадам Клико». Ну выпили. А тут в гримерку эта овца врывается и давай на меня налетать. Оказалось, она с кутюрье в отношениях. А кто бы мог подумать? Ей двадцать, ему шестьдесят!

— И что потом? — живо поинтересовалась Лена.

— Инцидент вроде замяли, но дедушка от меня не отстал. Писал, звонил, хотел музой своей сделать. В итоге его пассии надоело это, она ушла от кутюрье к режиссеру, но зло затаила.

— И что в тебе мужики находят? — фыркнула Лена.

Виктория равнодушно пожала плечами.

— Почему ты отказалась стать музой кутюрье? — спросила Элена, обернувшись.

— Так я его не только вдохновлять должна была, но и в постели обслуживать.

— Ясное дело. Но много ли надо старичку? Потерпела бы, ничего страшного.

— Нет, это не по мне. Я сплю только с теми, кто мне нравится. Это мой принцип.

Тогда она не солгала. На протяжении всей жизни Коко (это прозвище приклеилось к ней чуть позже благодаря ее первому мужу-фотографу) следовала своему принципу. Даже когда ее любовником стал член политбюро и все решили, что она отказалась от него, это было не так. Бонза был хоть и в возрасте, но привлекал Коко. Ей нравились его сильные руки, умные глаза и волевой характер.

В тот день Васко не остался у Элены. Он поехал к дому, у которого высадил Викторию, и простоял возле подъезда часа два в надежде, что девушка покажется в окне, и он узнает, в какой квартире она обитает. Так и не выяснив этого, он уехал. Но вернулся спустя день. Он караулил Викторию до тех пор, пока она не показалась ему на глаза. Тогда он подкатил к ней и предложил подвезти, наврав, что оказался возле ее дома случайно.

Днем, без макияжа, она показалась Васко еще красивее. Такая естественная, нежная. Ему хотелось распустить ее собранные в «вал» волосы, зарыться в них и замереть, наслаждаясь моментом близости.

— Ты чего на меня так смотришь, Вася? — удивленно протянула Виктория, поймав его взгляд.

— Как?

— Как будто сейчас расплачешься.

— Желудок болит, сил нет, — соврал Васко. — У тебя нет таблетки случайно?

— Есть! — Она раскрыла сумку и достала из нее анальгин. — Держи. Но заглушать боль — не выход, надо искать ее причину. Сходи обязательно к врачу.

Он пообещал. А вечером на него насела Элена. Оказалось, Виктория сообщила ей о том, что Васко подвозил ее и у него болел желудок. Девушка сначала настойчиво предлагала пройти обследование у доктора, который лечит их семью, а затем допрашивала, каким ветром его занесло в тот район, где обитала Виктория. Уже тогда Элена почувствовала опасность. Но успокоила себя тем, что у подруги есть жених, которому она не изменяет, значит, ничего Васко не обломится.Увы, она не поняла главного, того, что ее избранник не возжелал, а полюбил Викторию. Причем на всю жизнь.

Он продолжал встречаться с Эленой, но думал лишь о ее подруге. Она завладела всеми его мыслями и чувствами. Это было похоже на болезнь. А так как сильную хворобу от окружающих не утаишь, то близкие заметили, что с ним что-то не так. В том числе Элена. Хотя она оказалась в числе последних, кто спросил, что с ним творится. Ей было не до Васко в последнее время, своих проблем хватало: на ее мать завели уголовное дело и могли посадить в тюрьму, впаяв кошмарный срок за крупное хищение госсобственности. Элене было очень тяжело в тот период. Она как никогда нуждалась в поддержке. А ее от Васко не могла дождаться. Он был вечно занят, а если освобождался и приезжал к Элене, то мыслями все равно находился не с ней. И она вывела его на откровенный разговор. А он как будто только этого и ждал.

— Не могу больше скрывать от тебя, — выпалил он. — Я люблю другую. Считаю нечестным утаивать от тебя этот факт.

— Кто она?

— Виктория.

— Вот сучка! А ведь уверяла, что если любит, не изменяет.

— Она и не изменяет...

— И что парни подруг для нее табу, — не услышала его Элена.

— Между нами ничего не было! Я тебе больше скажу: она даже не знает о моих чувствах к ней. Я не набиваюсь к ней в ухажеры, пока только в друзья. Знаю, что она влюблена, жду, когда разлюбит.

— И утешишь ее, да? — сквозь слезы рассмеялась Элена. — Не меня сейчас, а ее в предполагаемом будущем.

— Прости.

— Да пошел ты! Не прощаю! Вали отсюда...

И, подбежав к двери, распахнула ее.

Васко покинул квартиру Элены. И несмотря на то что на душе было не очень, с чувством облегчения. Теперь он не парень подруги, значит, его шансы удвоились.

Он перестал звонить Элене. И она его не беспокоила. О том, что ее мать осудили на пятнадцать лет, он узнал от Лены, с которой тоже общался. Имущество семьи было конфисковано. Осталась только квартира. Васко набрался смелости и поехал к Элене, чтобы предложить помощь. Она встретила его сурово. На приветствие ответила кивком и задала лишь один вопрос:

— Ты все еще ее любишь?

— Да.

И дверь перед ним захлопнулась.

Вскоре Васко узнал от Лены о том, что Элена скоропалительно вышла замуж и уехала со своим супругом в Ригу. Он некоторое время вспоминал о ней. Но вскоре позабыл. И когда спустя годы встретил Элену, то не сразу узнал. Просто лицо красивой зрелой женщины ему показалось знакомым.

— Привет, Васко, — поздоровалась она с ним.

— Добрый день.

— Я что, так сильно изменилась?

И улыбнулась одними губами. Глаза же оставались холодными льдинками.

— Элена! — осенило Васко.

— Она самая.

— Рад тебя видеть. Как ты?

— Неплохо.

— Ты сейчас где живешь? Тут или в Прибалтике?

— Тут. Вот уже полгода как.

— Семья, дети?

— Я в разводе. Есть взрослый сын. Он остался в Риге.

— А как мама?

— Она умерла на зоне.

— Прими мои соболезнования...

— Это было давно, я уже смирилась. А как ты поживаешь?

— Отлично! — бодро отрапортовал Васко.

На самом же деле особо хвастаться было нечем. Ни семьи, ни детей, да и работы не так много, как хотелось бы. Васко какое-то время еще снимался для журналов. А потом решил, что стоять по другую сторону камеры интереснее и прибыльнее, и стал пробовать себя в качестве фотографа. Получить первые заказы ему помогла Виктория, на тот момент самая востребованная манекенщица Москвы. Последующие он уже сам добывал. Причем легко. И наконец достиг того уровня известности, когда мог выбирать, где и с кем ему работать. Жаль, этим золотым временам пришел конец. Развалился Союз, вместе с ним и модная индустрия. К новым условиям жизни и деятельности Васко пока не привык. И не был уверен, что сможет. Но очень на это надеялся.

— Добился Виктории? — спросила Элена, остро глянув на Васко.

— Она мой добрый друг.

— И только?

— Да.

— Но ты все еще ее любишь? — Васко пожал плечами. — Ответь, — потребовала Элена.

— Люблю.

— Хорошо, — улыбнулась она. И теперь не только губами. Глаза заискрились.

— Не понял...

— Ты разбил мне сердце, сообщив, что любишь другую. Да еще платонически. Желание я бы тебе простила. Чувства — не смогла. Долгие годы я ненавидела тебя. Представляешь, ты жил, не зная о том, что у тебя есть враг! Честное слово, если бы представилась возможность сделать тебе какую-то пакость, я нагадила бы тебе, не задумываясь. Но время лечит. Я успокоилась. И даже перестала вспоминать о тебе. Но как увидела тебя... Испугалась.

— Меня? — удивился Васко.

— Себя. Я представила, как подойду к тебе, спрошу, как дела, а ты скажешь: отлично, я женат на Вике, у нас трое детей и внучка на подходе. Если бы я услышала это, ненависть бы вернулась. А я так от нее устала...

— Рад был тебя порадовать, — невесело усмехнулся Васко.

— Ты хотя бы признался ей?

— Да. Когда она рассталась со своим женихом. Это случилось вскоре, так что мне не пришлось долго ждать.

— И что она?

— Сказала, что я для нее только друг. И если меня такое положение не устраивает, нам лучше больше не видеться. — Васко совсем скис, рассказав об этом Элене. Ему стало так себя жаль, что захотелось напиться. — А поехали ко мне? Покажу тебе свою студию. Угощу виски. У меня есть отличный «Чивас».

Она согласилась, и они отправились к Васко домой (он оборудовал студию в самой большой комнате своей трешки) и там безбожно напились. Поревели, обнявшись. Пытались заняться сексом, но, к счастью, оба были в таком состоянии, что не смогли даже раздеться. В итоге взялись фотографироваться. И уснули под утро прямо на полу...

Так началась их дружба после ненависти.

...Сыворотка впиталась. Кожу начало немного покалывать, и это было нормально. Через пару минут морщины станут почти незаметными, мешки под глазами уменьшатся, а синева станет бледнее. Васко отошел от зеркала и направился в кухню. Алкоголь забирает молодость, поэтому он старался принимать его как можно реже. И все же иногда позволял себе пару порций виски со льдом. Сейчас он намеревался пропустить их. А после можно позвонить Мариэлле.

На самом деле девушку звали Мариной. Она приехала из глухой провинции, чтобы стать моделью, но, как и многие, оказалась не на подиуме, а на панели. С Васко она спала даром, потому что он ее бесплатно фотографировал. Благодаря ему у нее было отличное портфолио (крест на своих девичьих мечтах она не поставила, все еще надеялась пробиться в мир фэшена) и лучшие снимки в виртуальном каталоге девочек по вызову.

Васко налил виски в стакан, бросил туда кусочек льда. Подумав, нарезал сыра и колбаски. Тоненько-тоненько. Оставив спорт, он начал поправляться и с возрастом набрал двадцать лишних кило. Они ему мешали. Но сбросить не получилось. Не хватало силы воли. Васко любил вкусно покушать. Коко говорила «Ты — кот Васька, лакомка!» и трепала его по волосам. Будто он на самом деле был не мужчиной, а ее четвероногим любимцем...

Поставив стакан и блюдце с закуской на поднос, Васко собрался передислоцироваться в комнату, чтобы усесться в удобное кресло перед большим телевизором, но тут в дверь позвонили. Он никого не ждал, значит, явился кто-то из соседей. А так как он никому из них не одалживал ни денег, ни соли, то, видимо, опять собирают какие-нибудь подписи.

— Пошли вы к черту, — пробормотал Васко, решив проигнорировать звонок.

Но не тут-то было! Тот, кто явился по его душу, не думал так сразу ретироваться. Он позвонил еще раз. И еще. Выругавшись сквозь зубы, Васко поставил поднос на место и торопливо зашагал к двери, чтобы открыть ее.

Звонок все еще трещал, когда он это сделал. Васко терпеть не мог громкие навязчивые звуки, от них у него по телу бежали неприятные мурашки.

— Да что же это такое? — возмущенно выпалил он, распахнув дверь. — Прекратите трезвонить! — Но, узнав визитера, сменил гнев на милость. — Ой, привет, это ты, рад тебя видеть. Заходи.

— Она мертва! — выпалил незваный гость.

— Кто?

— Виктория. Твоя королева. Теперь ты свободен от нее!

Глава 3
Данила

Ему снился дурной сон, подробностей которого Дэн не мог вспомнить, пробудившись. Такое в последнее время бывало с ним довольно часто. Он совершенно точно видел кошмары, так как просыпался резко, с колотящимся сердцем, испариной и неприятным осадком на душе, но какие именно — для него оставалось тайной. Будто Морфей, разгневанный тем, что Дэн вырывался из его объятий, наглухо захлопывал дверь в свой мир, не оставляя крохотной щелочки, чтобы в нее подсмотреть...

Он встал с кровати и прошествовал в ванную. Уснул он в одежде и не почистив зубов. Теперь нужно было раздеться, принять душ, прополоскать рот и вернуться в кровать. Сразу уснуть не получится, но можно почитать и посмотреть телевизор. Дэн в последнее время сильно перегружал себя эмоционально, поэтому, наверное, и спал так неспокойно.

Стянув с себя футболку и штаны, встал под душ. На полочке стояла целая батарея гелей, он взял первый попавшийся. Оказался апельсиновый. Поморщившись, Дэн швырнул пузырек в урну. Он терпеть не мог запахи цитрусовых. Близкие люди об этом знали. Значит, гель подарил кто-то из «левых» — бывший коллега (сейчас Дэн не работал), случайная барышня...

Мама...

Да, мама не входила в круг близких людей. Он и узнал-то ее не так давно!

Дэн взял пузырек, на этикетке которого были изображены зерна кофе. Выдавил гель на ладонь, затем нанес на тело. Приятно... И обонянию и осязанию. Значит, этот продукт преподнесла ему Коко. Она подходила к выбору подарков с душой. Даже если это были банальные, как говорят в народе, мыльно-рыльные принадлежности.

Помывшись, Дэн взял маленькое полотенце, чтобы вытереть волосы. А тело само высохнет. Ему нравилось ходить влажным.

Голым он вышел из ванной. Проходя мимо шкафа-купе в прихожей, бросил взгляд на свое отражение. Все в норме. Живот все в тех же кубиках, хотя он не посещал зал уже полтора месяца.

Дэн вообще был из породы красавчиков. Природа его щедро одарила. Рост, сложение, лицо, зубы, волосы — все безупречно. Многие считали его из-за этого баловнем судьбы. Как будто народную мудрость забыли: не родись красивым, а родись счастливым. А Дэн на ней, можно сказать, вырос. Дед, воспитывавший его с пеленок, постоянно эти слова повторял.

Данила появился на свет в деревне под Рязанью. Причем не в больнице, а дома. Потому что роды у его матери начались раньше срока и в такой дождливый день, что до села, где имелась клиника, не доехать по раскисшим дорогам. От кого она забеременела, никто в деревне не знал. Приехала из города брюхатая. Все думали, отец прогонит девку, залетевшую вне брака, но нет, принял. А когда неблагодарная дочь снова сбежала в город, бросив полуторагодовалого сына, стал внука воспитывать.

Мальчишка рос здоровым, смышленым, только каким-то неудачливым. Постоянно попадал в передряги. То его корова боднет, то он в яму свалится, то сосулька ему на голову упадет, то отравится грибами солеными. Главное, дед тоже их ест, а единственный ложный в банке Даниле достается.

В одиннадцать лет Дэн на уроке физкультуры получил гранатой по носу. Одноклассница ее не туда метнула. В итоге — сломанная перегородка и рассеченная бровь. Учителя и директриса плакали, увидев, каким Дэн из больницы вернулся. Такое лицо у мальчика было, как с картины! Без единого изъяна. А что теперь? Нос горбатый, над глазом рубец. Не знали они, что Дэн только радовался этим изменениям. Ему не нравилось собственное отражение. Как будто в зеркало не пацан смотрит, а девчонка. Глазки, губки, носик, все нежное. Даже брови будто пинцетом подщипаны. Из-за этого его одноклассники дразнили. Но не колотили — он уже тогда был высок и крепок.

В тринадцать Дэн записался в секцию бокса. Их участковый, Евгений Яковлевич Митяев, в народе Митяй, бывший афганец, организовал ее, чтоб мальчишки спортом занимались, а не гробили свое здоровье самогоном, сигаретами да клеем. У Данилы не сразу дело пошло. Физические данные были отличными, а вот реакция не ахти.

— Это потому, что ему то на голову что-то падало, то он куда-то, — говорил дед участковому, который иногда захаживал к ним в гости. — У него три сотрясения было, пусть и легких...

— Причину со следствием путаете, Вениамин Дмитриевич, — возражал ему тот. — Реакция у Данилы несколько заторможенная, вот он и не успевал отпрыгнуть или обойти яму. Та же граната ему в лицо прилетела потому, что увернуться не успел.

— И какой ему бокс тогда? Всю башку отобьют парню, дебилом станет.

— Реакцию развить можно. Есть специальные методики. Дэну это не только в спорте, в жизни пригодится.

— Ну, тебе виднее, конечно, Митяй. Только, пока не разовьешь ее во внуке, не выпускай его на ринг, ладно? Я уже старый, за инвалидом ухаживать не смогу.

— Я из вашего внука, Вениамин Дмитриевич, настоящего чемпиона сделаю!

И принялся за Дэна всерьез.

Вскоре бокс стал для парня главным смыслом жизни. Не потому, что Даниле хотелось титулов, славы, денег, наконец. Просто он понял, как это здорово, управлять своим телом, чувствовать в нем мощь, энергию.

— Не это в боксе главное, — возражал ему тренер. — Не мышцы. А мысли. Пока ты — только тело. Если выражаться военным языком, солдат, рядовой. Пушечное мясо. А должен стать маршалом, понимаешь?

Дэн кивал, хотя понимал Митяя не до конца. Мал был еще.

В четырнадцать он одержал свою первую победу. В пятнадцать поехал на соревнования в Рязань и завоевал там юниорский титул чемпиона города. Сразу после этого парня позвали в город. Он не хотел переезжать, хотя понимал, что это шанс стать профессиональным спортсменом. Но как без него дед? Немолодой он уже, сам с хозяйством не справится: у него и огород, и скотина. А тренер?

Столько сделал для Дэна, а он, получается, предает его? Ведь в городе с ним будет заниматься другой человек. Но когда он эти мысли озвучил, получил нагоняй и от деда, и от Митяя.

— Для нас главное, чтоб ты человеком стал! — возмутился дед. — Я тебя растил не для того, чтобы ты мне стакан воды принес, когда помирать буду. Может, я и пить-то не захочу!

— А я не затем тренировал, чтоб ты свой талант тут, в дыре нашей, загубил, — вторил ему Митяй. — Обещал чемпионом сделать — сделал. Но только города. А ты можешь мировым стать. Но не со мной. Я тебе дал, что мог. Дальше тебя должен тренировать тот, у кого больше знаний и опыта. Так что не думай — езжай. За дедом я присмотрю.

И Дэн поехал.

Нового тренера звали Прохором. Он был здоров, суров и волосат. Тело боксера покрывали седые лохмы. Когда он раздевался до майки, казалось, что под ней свитер. А вот голова его была абсолютно лысой. Те остатки волос, что кустились над ушами, Прохор сбривал.

Он тренировал Дэна жестко. В отличие от Митяя, не вел с ним бесед о философии боя, а ставил на ринг и лупил, пока подопечный не научится правильно блок ставить.

— Кто тебе сказал, что боксеру нужны мозги? Плюнь тому в лицо! — рычал он, нанося удары. — Инстинкт — вот что самое важное. Доверяйся ему и бей, бей!

Еще он учил его быть злым. Не по жизни, а на ринге. Разжигать в себе ярость, концентрировать ее и направлять на врага. Именно врага — не соперника.

— Ты — супертяж! Один хороший удар — и бой выигран нокаутом. Чтобы нанести его, надо силу помножить на ярость.

И Дэн учился боксировать по-новому. Правда, не так быстро, как хотелось бы тренеру, поэтому многие бои он проигрывал, чем выводил того из себя. Их учебные спарринги становились все более жесткими. Прохору даже делали замечания другие тренеры, но он велел им не лезть не в свое дело. И они замолкали — в коллективе Прохора не любили и побаивались.

Первый, кого Дэн отправил в нокаут, был именно он... Его тренер! Единственный человек, способный вызвать в нем ярость. Дэн с ужасом ждал, когда тот оклемается и встанет. Думал, размажет. Душу вытрясет. Но Прохор удивил:

— Я горжусь тобой, сынок, — прохрипел он, рывком сев. — Меня свалил, молоток! — Он, схватившись за канат, встал на ноги. — И пусть я пьян сейчас и мог бы свалиться и сам, но ты все равно молоток. Буду тебя на общероссийские выставлять. Думаю, ты готов.

Те соревнования он выиграл. С триумфом. Финальный бой продлился недолго. Дэн отправил соперника в нокаут уже в первом раунде. В Рязань он вернулся победителем.

Это был лучший момент в его жизни! Как выяснилось потом. А тогда ему казалось, что все хорошее только начинается. Но судьба напомнила красивому Дэну (с переломанным носом он стал еще привлекательнее) о том, что он не из породы счастливцев.

Как-то вечером они с Прохором шли из зала. Оба жили в общежитии, но обычно тренер отправлялся после занятий в пивную или к одной из своих женщин, а сегодня у него не было настроения ни пить, ни сексом заниматься. Вообще никакого не было! Он даже не разговаривал с Дэном, и это парня радовало. Когда Прохор был без настроения, его могло взбесить все, что угодно, в том числе какое-нибудь невинное высказывание.

— Закурить не найдется? — донеслось откуда-то из темноты.

— Не курим, — бросил Дэн в ответ.

— Кто не курит и не пьет...

— Тот пидор! — И дружный хохот. Темнота скрывала как минимум троих.

Прохор остановился. На его лице появилась кровожадная улыбка. Он нашел тех, на ком сорвет свою злость.

— А ты выйди, сладкий, покажи личико, — вкрадчиво проговорил Прохор. — Если понравишься, я тебя поцелую, и ты узнаешь настоящую мужскую любовь...

Дэн ошибался — задир было не трое, а пятеро. То есть противник превосходил их по численности. К тому же двое парней производили впечатление бывалых драчунов. Остальные так, шакалята при боевых тиграх. И все же их тоже нельзя было сбрасывать со счетов.

— И кого из вас целовать, мальчики? — спросил Прохор, хотя сам уже догадался, кто в этой стае вожак, и обратился к нему: — Наверное, тебя, голубок?!

Реакция последовала незамедлительно. Парень выбросил кулак и снес бы Прохору челюсть, не уйди тот от удара. Второй крепыш кинулся на Дэна. Шакалята до поры держались в сторонке. Но когда поняли, что их предводители вот-вот будут повержены, бросились им на подмогу. На Прохора, как более взрослого и крупного, налетели сразу двое. На Дэна — один. Он легко сбросил его с себя. Но тут ощутил резкую боль в боку. Опустив глаза, он увидел торчащую из бока рукоятку перочинного ножа.

— Вот ты козлина! — в бешенстве заорал Дэн. — Ты мне куртку испортил новую! Знаешь, сколько она стоит?

Он на самом деле в тот момент переживал из-за этого, а не из-за раны. Он на эту куртку все призовые угрохал. Таких, итальянских, кожаных, в Рязани больше ни у кого не было.

Вне себя от бешенства, Дэн ринулся на шакаленка и обрушил на него свой фирменный хук. В ударе сосредоточилось столько силы, помноженной на ненависть, что парень отлетел на три метра и врезался головой в угол дома.

— Атас, менты! — закричал кто-то из шпаны.

И через несколько секунд их след простыл. Причем предводителя поднимали с асфальта и волокли под руки.

На месте драки остались Прохор, Дэн и... парень, пырнувший его ножом.

Он был мертв. Травма, полученная при ударе, оказалась не совместимой с жизнью.

После было следствие, суд, оправдательный приговор. Федерация спорта из Москвы прислала своего адвоката. Он «отмазал» Дэна даже от условного срока. Но на ринг ему путь был заказан. Да и сам Данила не желал туда возвращаться.

...Он тряхнул головой, отгоняя воспоминания. Не любил ворошить прошлое. А в нем, прошлом этом, столько всего было нехорошего, кроме той драки, что, в нем копаясь, можно впасть в глубокую депрессию.

Дэн, уже высохший, разобрал кровать и нырнул под одеяло. Он любил спать голым. Без одежды он быстрее расслаблялся. Щелкнув пультом, он включил канал «Дискавери». Глядя на резвящихся бегемотиков, он взбивал подушку. Сделав это, он собрался опустить на нее голову, как в дверь позвонили.

Смачно ругнувшись, он встал и пошел открыть. Штаны натянул на себя по пути, сорвав их со спинки кресла.

Отперев, он увидел на пороге незнакомого мужчину.

— Здравствуйте, — хрипло сказал он и закашлялся. — Извините, простуда.

— А вы кто?

— Майор Сергеев. Полиция. — Он продемонстрировал удостоверение.

— А что такое? — напрягся Дэн.

— Умерла, предположительно насильственно, Виктория Андреевна Белецкая. Вы знаете такую?

— Да.

— Нам нужно задать вам пару вопросов.

Дэн почувствовал, как от лица отхлынула кровь. А полицейский это заметил.

— Что-то вы побледнели, — протянул он.

— Из подъезда дует, а я, как видите, раздет, — ровно, без дрожи в голосе, проговорил Дэн. — Заходите. Я оденусь и буду в вашем распоряжении...

Глава 4

Алиса

Корвалол не помог. Сердце продолжало колотиться так сильно, что Алисе казалось — его буханье слышат даже те, кто находится с ней рядом. Да и руки продолжали мелко подрагивать. Алиса сцепила их на коленях, но тут же сунула в карманы — они оказались ледяными.

— Можно, я чаю себе согрею? Меня знобит, — обратилась она к старшему следователю Вернику, прибывшему на место преступления вместе с операми. Он сидел через стол от нее. К счастью, не тот самый, на который они с Коко ставили фрукты и шампанское. В данный момент они находились в кухне.

— Согрейте, — ответил он. — Я бы тоже от чая не отказался.

Алиса встала и подошла к плите. Коко кто-то из друзей подарил отличный электрический чайник, но он так и остался в коробке, воду она продолжала кипятить по старинке, на газу.

— Давайте еще раз, Алиса Витальевна, вернемся к последнему вопросу, — заговорил с ней Верник. — Вы услышали шаги, я правильно вас понял?

— Да. За своей спиной. Тихие, медленные. Как будто кто-то крался.

— Но кто именно, вы не знаете.

— Нет.

— Странно, что вы не обернулись.

— Почему же?

— Это естественная реакция — обернуться на звук.

— Моя бабушка деревенская. Ее отец егерем был. Не знаю, как сейчас, но тогда в лесах полно было хищников. И он с малых лет учил дочку: не делать резких движений, заслышав позади себя шум. Это может спровоцировать зверя на нападение. Лучше замереть, и тогда он, возможно, уйдет.

— Еще, я слышал, мертвым притвориться советуют, если, к примеру, медведь нападает. Вы поэтому обморок изобразили?

— Вы сейчас иронизируете или серьезно спрашиваете? — сердито спросила Алиса.

— Барышня, я убийство расследую, мне не до смеха, — с упреком протянул Верник.

— Я потеряла сознание от страха. А когда очнулась, в квартире уже никого не было.

— После этого вы спустились вниз и попросили консьержа вызвать полицию, так?

— Да.

— Сколько вы были без сознания?

— Я не знаю. Не засекала.

— С того момента, как вы зашли в подъезд, и до того, как спустились на первый этаж, прошло восемь-десять минут. И по словам консьержа, за это время никто на улицу не выходил.

— Вы это к чему?

— Может, шаги вам примерещились со страху?

— Нет.

— Уверены?

— Стопроцентно.

— Значит, человек, что находился в квартире, на время где-то затаился и вышел из подъезда, когда консьерж покинул свой пост, либо он тут живет... — Верник подался к двери, распахнул ее и крикнул. — Вася, ты тут?

— Ну... — донеслось из комнаты.

— Кто по квартирам пошел?

— Сергеев.

— Один?

— А с кем же? Нас всего четверо, включая тебя.

— Вернется — ко мне посылай сразу.

— Как скажешь, начальник, — эта реплика прозвучала громко, не как предыдущие, поскольку Вася показался на пороге кухни. — Дамочка отошла? — спросил он, кивнув на Алису.

— Потрясывает еще.

— Это я вижу. Может, укольчик успокоительный?

— Хотите? — обратился Верник к Алисе.

— Не надо. Я травяного чаю выпью. Он и успокоит, и согреет.

— Вы нам там нужны! — Вася кивнул за спину. — Не хлопнетесь в обморок?

— А Коко, она... Все еще на стуле?

— Нет, покойная уже вне квартиры.

— Тогда смогу.

— Пойдемте.

— А чай?

— Заварите. Пока он готовится, мы закончим. Я вас недолго задержу.

Алиса кивнула и достала из ящичка несколько чашек и коробку с чаем. Решила сделать всем. Только себе она ромашковый заварила, а мужчинам обычный черный. Знала: представители сильного пола травяные чаи не жалуют.

Выходить из кухни все равно было страшно. Алисе пришлось сделать над собой усилие, чтобы переступить порог. Но в коридоре было светло, впереди нее шел Вася, позади Верник, и она успокоилась.

— Вы открыли дверь своим ключом, я правильно понял? — бросил опер через плечо.

— Да.

— У кого, кроме хозяйки и вас, они еще были?

— Не знаю.

— Многие у соседей оставляют запасную связку на всякий случай. Она так делала?

Алиса пожала плечами.

— Мне она об этом не говорила. Возможно.

— Замок в полном порядке. Его не взламывали. Значит, либо покойная впустила убийцу сама, либо у него имелся ключ от двери.

— То есть уже нет сомнений в том, что смерть насильственная?

— Пока не сделано вскрытие, есть. Но я лично убежден — ее убили. Но даже если нет, то глумление над трупом тоже преступление, пусть и не такое тяжкое...

— Вася, замолкни, — приказал оперу следователь. — И говори, чего от свидетельницы хотел.

— Ты уж определись, Гоша, замолкать мне или говорить.

— Ты меня понял.

— Вас Игорь зовут? — спросила Алиса.

— Да.

— Игорь Верник? Как артиста?

— Вот так мне повезло, — буркнул он. — А теперь скажите, что я не похож на своего полного тезку, что очень жаль...

Он на самом деле был его прямой противоположностью — упитанный, светлый, с залысинами. И улыбался он очень скупо, лишь чуть раздвигая губы.

— У меня парень был Селезнев, — сказала Алиса. — Все подбивали меня выйти за него замуж. Чтоб стать полной тезкой главной героини «Гостьи из будущего».

Эта болтовня немного отвлекла Алису. Но, войдя в комнату и увидев стул, пусть уже пустующий, но с этими ужасными обручами, снова вся внутренне сжалась.

— Давайте восстановим картину, — обратился к ней Вася. — Вот вы заходите и...

— Что тут восстанавливать? Стояла тут же примерно. Коко сидела там! — Она дернула подбородком в сторону стула и тут же отвернулась, не желая на него смотреть.

— А шаги откуда раздавались? — спросил Верник.

Алиса указала большим пальцем за свое правое плечо.

— Спальня в той стороне, — отметил Вася.

— Ты давай вниз дуй сейчас, — велел ему следователь. — Консьержа допроси. И пусть составит список всех, кто входил-выходил.

— Хорошо, что есть тут швейцар при доме. Это, Гоша, чтоб ты знал, так во Франции консьержей называют. Но лучше б камера на входе была. Непонятно, почему не установят.

— Парень новенький, — подала голос Алиса. — Он почти никого из жильцов не знает. Кто к кому ходит — тоже. Из него плохой помощник следствию. А камера была, но ее разбили, а на новую пока жильцы не сбросились.

— Одно к одному, а? — обратился к Василию Игорь. — И камеры нет, и консьерж новый. Все просчитал наш преступник.

— Неужели! Коль с собой железяки принес. У него был четкий, продуманный план. Ладно, я пошел.

И удалился. Но ему на смену явился грузный мужчина с бородой, которого Алиса до этого не видела. Она решила, что это судмедэксперт.

— Здравствуйте, девушка, — поприветствовал он Алису.

Она в ответ кивнула.

— Просьба-просьбишка у меня к вам. Я сейчас на теле вашей подруги синяк увидел подозрительный. Непонятно, откуда взялся. Вы не могли бы сесть и показать, в каком положении покойница находилась, когда вы ее обнаружили?

— Куда сесть? — испугалась Алиса.

— Желательно на стул. Чтоб посмотреть, где располагались крепления.

— Нет, я не буду этого делать, — замотала головой она.

— Вам страшно? Понимаю... Но вы бы очень помогли следствию.

— Пусть изобразит, сидя на диване, — пришел ей на подмогу Верник. — А лучше — на кресле.

— Ладно, — поджал губы эксперт. — Но ты, Гош, все же повтори за барышней, сев на стул.

— Да мы его с собой заберем.

— Меня гложут смутные сомнения. Я не могу позволить им загрызть меня окончательно...

— Алиса, прошу. — Верник указал на кресло. А сам направился к стулу.

Она закинула ногу на ногу, выпрямила спину, опустила руки на подлокотники.

Верник последовал ее примеру.

— Вот так? — уточнил он, усевшись.

— Кисти скрестите, — едва слышно выдохнула она.

Игорь опустил одну ладонь на другую.

И тут самообладание покинуло Алису. Туман набежал на глаза, и она уже не видела ни следователя, ни стула, на котором он восседает, ни эксперта, стоящего подле...

— Поплыла барышня, — услышала Алиса сквозь пелену. После чего провалилась в уютное спокойствие бессознательности. Второй раз за день и всю свою жизнь она упала в обморок.

Часть вторая

Глава 1
Элена

Она сидела в своем кабинете за столом и мелкими глотками пила остывший кофе со сливками и сахаром. Элене нравился именно такой. Даже когда она садилась на диету и ела одни овощи да вареную куриную грудку, не отказывала себе в любимом напитке. Лишить себя теплого, сладкого, с концентрированным молочным привкусом кофе все равно что добровольно обречь себя на муки.

Чашка опустела. Элена отставила ее и взяла в руки стопку фотографий. В ней их было семь штук. И на каждой изображена Коко.

Разложив фотографии на столе, Элена стала изучать их.

— Эта не годится, — пробормотала она, перевернув самую первую. — На ней Коко очень молода. Ей тут тридцать. Эта, пожалуй, тоже... — Она постучала ногтем по фото, на котором подруга была запечатлена в заснеженном лесу. Она стояла возле ели. На голове меховая шапка-ушанка. Очень красивая, пушистая, но закрывающая лоб и скулы. — Пол-лица скрыто! — Снимок был положен на первый, также изображением вниз. — Эта? Что ж, возможно...

Элена взяла ее и, вытянув руку, взглянула еще раз. Ох, уж эта возрастная дальнозоркость! И нежелание пользоваться очками.

— Нет, тоже не то! — с разочарованием проговорила она.

В дверь постучали.

— Кто там? — крикнула она. Всех, в том числе секретаря, она приучила стучать.

— Мам, можно?

— Заходи, сынок.

Дверь открылась, и на пороге возник Оскар. Он совсем не был похож на мать. Разве что глаза ее взял: голубые, льдистые, с чуть приподнятыми уголками. Волосы же были темными, чуть волнистыми, не очень густыми. Лицо — приятным, щекастым, с ярким румянцем. Мордаха Оскара-ребенка всех умиляла. Особенно его мать. Элена обожала трепать сына за розовые щечки и очень расстроилась, когда он, начав созревать, исхудал. Сейчас, будучи взрослым мужчиной, он имел среднюю комплекцию.

Сын переехал жить в Москву несколько лет назад. До этого учился в Риге, там же делал попытки найти себя. Но как-то у него не ладилось. И не потому, что он был глуп или нестарателен. Просто Оскар был из породы тех людей, которые нуждаются в каждодневной поддержке. Его отец и бывший муж Элены Роберт считал это слабостью и постоянно упрекал супругу в том, что это она во всем виновата. Чрезмерно его опекала, и вот результат: Оскар — маменькин сынок, не способный принять самостоятельно элементарных решений. И это касалось всего. Оскар не знал, в какую секцию ему записаться, какое выбрать для себя хобби, куда поехать на каникулы, в чем лучше пойти на свидание, а зачастую и с кем! Да, бывало и такое. Элена подсказывала ему, какую девочку-девушку лучше выбрать, потому что сам он затруднялся это сделать.

— Мамочка, мне нравятся две мои одноклассницы: Эльза и Регина. Как думаешь, кого из них мне пригласить на выпускной?

— Ту, которая нравится больше.

— Больше Эльза. Но она такая шумная — громко говорит и хохочет. Я от нее устаю.

— Значит, Регину. С девушкой прежде всего должно быть комфортно.

Сын благодарно целовал маму и внимал ее совету. Элена не считала это чем-то ужасным. Разве плохо, что она имеет влияние на свое чадо? К кому сыну еще прислушиваться, как не к ней?

С мужем они развелись, когда Оскар оканчивал школу. Ему оставалось полгода до получения аттестата. Элена хотела дотянуть до выпускного, чтоб не травмировать ребенка перед экзаменами, но супруг ждать не пожелал. Он давно любил другую и желал с ней воссоединиться до того, как ее живот полезет на нос — она забеременела. Элена не стала мужу гадить, дала согласие на развод. Но потребовала хороших отступных.

Школу Оскар окончил с медалью, но Элена сомневалась, что сын сможет поступить в московский вуз, так как русский был его вторым языком. Значит, придется оставаться в Риге. Но ей так надоел этот город, тянуло в родную Москву. К тому же антироссийские настроения мешали ей чувствовать себя в Латвии как дома. И она решила, что пора перерезать пуповину.

Когда она сообщила мужу, уже бывшему, что хочет переехать в Россию, а Оскара оставить в Латвии на его попечение, тот обрадовался. Да, у него уже имелся второй ребенок, но это же не повод отмахнуться от первого. Отцепившись от маминой юбки, парень наконец-то начнет взрослеть, а это именно то, чего он так упорно добивался.

Как ни странно, Оскара новость не ввергла в пучину отчаяния. Он воспринял ее лишь с легкой грустью:

— Я буду по тебе безумно скучать, — сказал он, обняв мать. — Но разлука, пожалуй, нам обоим пойдет на пользу. Я стану самостоятельнее, а ты...

— А я?

— Посвятишь себя еще кому-то, кроме меня. Ты теперь женщина свободная, можешь найти себе человека по душе. Я всегда считал, что вы с отцом друг другу не подходите.

Она была приятно удивлена. Так здраво ее мальчик еще не рассуждал. Неужели повзрослел?

После того как Оскар поступил в институт, она уехала в Москву.

Первое время они каждый день перезванивались. Потом все реже. Сына закрутила студенческая жизнь, появились новые друзья, девушки. Потом оказалось, не те! И если б Элена была рядом, Оскар попал бы в другую, более подходящую для себя компанию и связал жизнь с достойной себя барышней.

О том, что Оскара отчислили с третьего курса за прогулы и он вступил в гражданский брак с какой-то рокершей, которая на завтрак курит, а на обед выпивает два литра пива, Элена узнала, приехав его навестить. Отец купил Оскару квартиру, и он жил отдельно. Неудивительно, что к парню с собственной хатой потянулись всякие сомнительные личности обоих полов. Элена быстренько всех разогнала. А когда Оскар попытался отстоять свое право на свободу выбора, инсценировала сердечный приступ. Перепуганный сын тут же свернул свою революционную деятельность, и Элена, полежав для достоверности в больнице, вернулась в Москву со спокойной душой. Знала: в ближайшее время ее Оскар будет паинькой и не сделает ничего, что может расстроить его больную мамочку.

Он неплохо окончил институт. Нашел благодаря отцу работу. Но она его не увлекала. Хотелось заниматься чем-то другим, но чем, он не знал. В итоге уволился, начал себя пробовать то в одном, то в другом, от коммерции до написания эротических рассказов. Дохода ни одно из занятий не приносило, да и удовлетворение лишь на первое время. Оскар захандрил, начал попивать, нашел себе очередную непутевую бабу. Эта, правда, не курила и не употребляла алкоголя, но была не от мира сего: не работала, все свободное время посвящала чтению изотерических книг и попытке выйти в астрал. Дом был запущен, а Оскар заработал гастрит, питаясь сухомяткой. Хорошо, не повернулся на той же почве, что и его избранница, а та не забеременела. Тогда Элена уже ничего не смогла бы поделать.

— Сын, нам нужно серьезно поговорить! — заявила она Оскару, выпроводив его сожительницу в аптеку за лекарствами, которые она якобы забыла в Москве. На самом деле она в них не нуждалась, поскольку на здоровье не жаловалась, а те пилюли, за которыми она послала девушку, вряд ли продавались где-то, кроме страны-производителя — Израиля. Значит, девушка вернется не скоро. — Я понимаю, ты тут родился, вырос, и все в твоей жизни связано с Ригой, но...

— Я в Москву не поеду, если ты к этому ведешь, — мотнул головой он. Этот город его пугал. Был слишком большим и враждебным. Элена пыталась переманить сына в Москву сразу после того, как он получил диплом. Но Оскар отказался. Тогда она не стала настаивать, думала, он и без ее чуткого руководства устроит свою жизнь.

— Но я нуждаюсь в тебе. Неужели ты бросишь меня, больную?

— Мам, давай лучше ты возвращайся.

— У меня российское гражданство. А это значит, я тут не получу нормальной медицинской помощи. К тому же там, в Москве, я при деле. Не думаю о хворях. А тут я превращусь в обычную пенсионерку, захандрю и уйду раньше времени...

И далее в том же духе.

Пятнадцати минут хватило, чтобы переубедить Оскара. И когда его сожительница вернулась домой, ей сообщили, что он уезжает, и попросили начать собирать свои вещи, поскольку квартира будет продана.

Элена ни разу не пожалела о том, что вновь взяла под контроль жизнь сына. Зато теперь он уважаемый человек, издатель и по совместительству — главный редактор. Она решила, что неплохо бы было выпускать модный журнал для среднего класса. Эдакий прет-а-порте ответ кутюрным «Вогу» и «Эль». Элена вложила эту идею в голову сына, чтоб тот ее принял за свою, и, когда Оскар ее озвучил, с радостью поддержала. Денег на раскрутку она же дала. И помещение под редакцию выделила в здании, принадлежащем агентству. Так что работали сын и мать по соседству. Поэтому Оскар был частым гостем в ее кабинете.

— Мамулькин, привет! — он подошел к Элене и чмокнул ее в щеку. — Выглядишь чудесно.

— Перестань, — отмахнулась она.

— Серьезно. Ни за что не скажешь, что ты весь вечер проплакала. — Он слышал, как мама всхлипывала, когда разговаривал с ней по телефону.

— Утром пришлось в салон заехать, сделать криомаску. Мешки были — во! — Она приложила чуть согнутые ладони к лицу.

— Чем занимаешься?

— Выбираю фото для похорон. Поможешь?

Оскар сел на край стола и начал перебирать снимки.

— Вот это, пожалуй, лучшее, — сказал он, протянув матери портретное фото.

— Сын, это же на паспорт! С ума сошел?

— Не знал, что у Коко был паспорт размером с Большую советскую энциклопедию.

— Она в последнее только Васко доверяла себя фотографировать. В том числе — на документы. И он наделал этих портретов в разных форматах. Зачем только, не знаю. — Она перевернула фото, как и остальные. — Кстати, как он?

Оскар сдружился с Васко и эту ночь провел у него, желая поддержать. Об этом его попросила Элена. Боялась, что их общий друг от горя что-нибудь с собой сделает.

— На удивление — нормально, — ответил на вопрос матери Оскар. — Поплакал, напился, опять поплакал и уснул. Сейчас он у следователя. Потом сюда приедет.

— Может, он мне поможет фото выбрать?! Я теряюсь. По-моему, так ни одно не годится.

— И мне так кажется.

— Но других нет, только эти.

— Она моделью почти двадцать лет проработала, как — нет?

— Коко перестала сниматься в сорок. Фотографии тех лет не годятся. А за последнее десятилетие она сделала их ничтожно мало. Хотя ей постоянно предлагали работу. Я — в том числе. Одежду для зрелых дам тоже кто-то должен рекламировать. А в последнее время вообще пошла мода на возрастных моделей. Но Коко, приняв в сорок решение уйти, его не поменяла. В этом она похожа на Брижит Бардо. Та закончила свою кинокарьеру в том же примерно возрасте, хотя могла бы сниматься и сниматься, она ведь до сих пор жива...

— Мам, ты что-то путаешь.

— Что, умерла? А я не слышала.

— Да не о Бардо я! А о Коко. По крайней мере, в одной фотосессии она недавно поучаствовала.

— Быть такого не может!

— Не веришь мне, поверь своим глазам...

С этими словами он протянул матери большой конверт. Он все это время держал его под мышкой.

— Что это?

— Открой, посмотри.

Элена сунула руку внутрь уже надорванного конверта и нащупала плотную глянцевую бумагу. Фотографии, поняла она. А что еще может носить с собой главный редактор модного журнала?

Она вытащила их. Разложила на столе поверх тех, что уже были. Фотографий оказалось четыре.

— Потрясающе, — прошептала она, рассмотрев каждую.

На всех — Коко, сидящая на стуле, который они с Васко ей подарили. Поза во всех четырех случаях одна — ракурсы разные. Элене особенно понравился снимок, на котором подруга изображена анфас. Лицо безмятежное, очень молодое, только глаза пустые какие-то, им бы немного блеска придать в фотошопе. Странно, что фотограф этого не сделал, хотя снимок был отредактирован.

— Где ты взял эти фотографии? — спросила Элена у сына.

— Обнаружил на своем столе сегодня. Вместе с остальной почтой. Очень удивился, когда, вскрыв конверт, увидел фотографии Коко. Не помню, чтоб мы заключали с ней контракт на съемку.

Элена продолжала рассматривать фотографии. Они уже не казались ей потрясающими. Что-то в них было не то...

Тут в дверь постучали. И тут же она открылась, явив взору Элены взволнованную мордашку секретарши Катерины.

— Элена Александровна, тут к вам из полиции, — выпалила она. — Майор... э...

— Сергеев, — подсказал визитер, оттеснив девушку. — Позвольте?

Майор был невысок, хорошо сложен, темноволос и весьма лицом приятен. Элене нравились мужчины такого типажа. Сама высокая, она обращала внимание на компактных, но ладных представителей сильного пола. Только ее бывший муж был крупным мужчиной, за метр девяносто. И красивым. Но не обаятельным. Может, поэтому она так и не смогла его полюбить?

— Элена Александровна, думаю, вы поняли, по какому вопросу я к вам, — сказал Сергеев, опустившись в кресло, на которое ему указала хозяйка кабинета.

— Это насчет Коко?

— Совершенно верно.

— Алиса... та девушка, что обнаружила тело.

— Я понял, о ком вы.

— Так вот, она сказала мне, что Коко убили, это так?

— Прежде чем ответить, я хотел бы попросить вашего посетителя покинуть кабинет.

— Это мой сын Оскар. Он отлично знал Коко. Много раз бывал у нее. Он может так же, как и я, быть полезен.

— Что ж, хорошо, пусть остается. А могу я попросить кофе?

— Простите, что не предложила. Конечно. — Элена нажала кнопку селектора и дала Кате задание сделать три кофе. — Так что вы скажете? Как умерла Коко?

— Ваша подруга скончалась от яда, введенного в тело при помощи инъекции. Ни шприца, ни ампулы в квартире не обнаружили. К тому же тело переносили после смерти. Это подтверждает версию насильственной смерти.

— В голове не укладывается, — прошептала Элена. — Коко была дивным человеком. Ей никто не мог желать зла.

— Вы так же считаете? — обратился Сергеев к Оскару.

— Я не так хорошо знал Коко, как моя матушка, но мне она всегда казалась положительным персонажем. Так что мотивом вряд ли является личная неприязнь, скорее — выгода.

— У Коко водились деньги? — заинтересовался майор.

— Как таковые — нет. Но она жила в шикарной квартире. Это же как минимум полтора миллиона долларов, а скорее, два. Узнаете, кто наследник, — вычислите убийцу.

— Вам бы в полиции работать, — криво усмехнулся опер. — Вон вы как быстро расследование провели. Да еще в одиночку.

— Не понимаю вашего сарказма. Как говорили древнеримские юристы: «Ищи, кому выгодно!»

— Если все было бы так просто, процент раскрываемости бы зашкаливал...

— Я думаю, квартира достанется Алисе, — подала голос Элена. — Но она совершенно точно не убийца. Девушка обожала Коко.

— Алисе? — удивился Оскар. — Почему ей? Она ведь не родственница и не самый близкий человек. Да они знакомы всего несколько лет!

— Я не любила ее квартиру, — начала Элена, обращаясь не к сыну, а к майору. — Считала ее старушечьей. Говорила, что в ней воняет нафталином и надо запустить в дом свежесть. Естественно, я выражалась иносказательно. Квартира на самом деле не пахла ничем. И Коко как-то на мой очередной выпад ответила фразой: «Свежесть придет с новым хозяином после моей смерти. Попахивающую нафталином старость сменит благоухающая молодость!» А так как, кроме Алисы, всем друзьям Коко перевалило за пятьдесят, то...

— Минутку, — резко оборвал Элену Сергеев. — Что это у вас?

— Где?

— В руках.

— Фотографии, — ответила Элена. Начав разговор с опером, она убрала их на край стола, а теперь взяла, чтобы переложить в ящик, так как Оскар включил кондиционер на обогрев, и она побоялась, что их сдует.

— Можно взглянуть?

— Пожалуйста. — Она протянула снимки Серову. — Оскар обнаружил их на своем столе сегодня. Судя по всему, это последний лук Виктории.

— Я бы сказал, посмертный, — пробормотал Сергеев, впившись глазами в первое фото.

Глава 2

Алиса

Никаких каблуков, обтягивающей бедра замши, меха, стразов. Джинсы, кроссовки, спортивная куртка. За спиной рюкзак. Волосы собраны в хвост. Ни сережек, ни колец. Никакой косметики, даже блеска на губах, только бальзам.

— Ты выглядишь от силы на двадцать в таком виде, — сказала Алисе Сью, валяющаяся на диване и следящая за тем, как подруга собирается.

— Разве это плохо?

— Я бы сказала, что нет, не превратись ты в совершенно безликое существо, сливающееся с толпой. Уж лучше выглядеть на свои двадцать шесть, чем превратиться в серую мышь.

Сью скривилась. Сама она делала все, чтобы привлечь к себе внимание. Поэтому волосы красила в угольно-черный цвет и наращивала их. Носила цветные линзы. Раз в три месяца впрыскивала в губы гель. Одевалась во все блестящее и ультракороткое. А туфли с каблуками ниже двенадцати сантиметров и без платформы считала тапочками. Благодаря всему этому ей удавалось становиться центром внимания, поскольку похожие на нее барышни передвигались на авто, а она пользовалась метро и маршрутками. Сью пока только начинала свою карьеру модели и еще не обзавелась «папиком».

— Я сейчас именно этого и хочу, — ответила на замечание подруги Алиса. — Стать безликой. У меня горе, и мне страшно представить, что кто-то начнет проклевывать скорлупу, в которую я спряталась.

Со Сью Алиса познакомилась два года назад. Та явилась в агентство Элены в надежде стать одной из его моделей. Тогда она представлялась своим настоящим именем Сюзанна (ее мама обожала песни Кузьмина) и была не роковой брюнеткой, а хорошенькой шатенкой среднего роста. Из-за него девушку не взяли в модели. Та отказом была просто-таки раздавлена, так как ни минуты не сомневалась в том, что именно ее ждет мир фэшена, и рыдала в туалете до тех пор, пока Алиса, зашедшая туда, не успокоила. Ей девочка понравилась, поэтому она решила последовать примеру Коко и помочь Сюзанне.

Алиса отвела ее в другое агентство. Оно было не такое крупное и престижное, как у Элены, и специализировалось на подборе девушек и юношей для работы в молодежных журналах и каталогах. Сюзанне было уже восемнадцать, но выглядела она на пятнадцать, потому что была естественна и миниатюрна, и ее с удовольствием взяли.

Первое время Алиса следила за скромными успехами Сюзанны, но потом потеряла ее из виду, так как много работала за границей: то недели моды, то съемки для календаря, то участие в рекламном ролике известного автомобильного бренда. Встретилась она с Сюзанной только через девять месяцев и не узнала ее. В кафе, где девушки договорились пересечься, вплыла кукла, накрашенная и разодетая так, будто она артистка кабаре и в перерыве, не снимая грима и сценического костюма, забежала попить кофе.

— Сюзанна? — неуверенно спросила Алиса.

— Сью, — поправила та. — Всегда ненавидела свое имя.

— Судя по всему, и внешность...

— Нравится? — Сью надула губы. Выглядели они как два слепившихся вареника.

— Мне кажется, со своими тебе было лучше. И вообще ты сейчас выглядишь старше своего возраста. Зачем это нужно? Ты ведь подростковая модель.

— Уже нет.

И она стала рассказывать о том, что разорвала контракт с агентством, куда ее привела Алиса, ушла в другое, и вот-вот на нее обрушится мировая слава. Потом Сью переключилась на своего парня, очень перспективного рекламщика, но пока печатающего листовки, что раздают у метро. Что Алисе нравилось в Сью, так это ее чистота. Наивность — один из ее признаков. Только она опасалась, что девушка ее вскоре утратит. Именно из таких, как Сью, получаются самые отъявленные циники.

Она никогда ни о чем Алису не просила. Та сама помогала. Пару раз нашла девушке работу. Брала с собой на вечеринки, где Сью могла бы познакомиться с нужными людьми. А когда та рассталась со своим парнем, тем самым рекламщиком, предоставила кров. Полтора месяца Сью жила с Алисой и совершенно ее не напрягала. Обе бывали дома нечасто, а приходили только отдохнуть, помыться, переодеться. Если обе оказывались в квартире в одно и то же время, закатывали «пиры» (объедались легким йогуртом или низкокалорийным клюквенным суфле), болтали, иногда выпивали бутылочку брюта и танцевали под Псая. С веселой, неконфликтной Сью было легко уживаться. И она не нарушала двух условий, которые Алиса перед ней поставила перед тем, как приютить: не разводить бардак и не водить мужиков.

— Ты куда сейчас? — спросила Сью, встав с дивана. На нем она валялась в полной боевой готовности: с прической, макияжем и в красном декольтированном платье. Подруга, как вставала и умывалась, сразу наводила красоту. Даже если из дома намеревалась выйти только к вечеру.

— Надо съездить в квартиру Коко, платье выбрать для похорон.

Сью поежилась. Она до жути боялась покойников, а также погребальных церемоний.

— Не возражаешь, если я на них не пойду?

— Это твое дело, Сью.

— Я же ее и не знала почти...

Алиса подошла к подруге и, наклонившись, поцеловала ее в макушку.

— Все, я побежала.

— На такси поедешь? — спросила Сью, зная, что сама Алиса не водит, а метро терпеть не может. В этом они с Коко были похожи.

— Глеб отвезет.

— Он вернулся из Германии?

— Да, ночью.

Глебом звали парня Алисы. Он работал спортивным агентом, и в Германии «продавал» одного из футболистов «Зенита».

Познакомились молодые люди полгода назад на светской вечеринке. Алиса сидела на диване, пила минералку, из последних сил поддерживала разговор с популярным молодым актером и думала только о том, как поскорее сбежать с этого пафосного, но невероятно скучного пати. Глеб стоял возле стойки, прихлебывал виски и наблюдал за ней. Взгляд его был так пристален, что Алиса его почувствовала и повернулась.

Сначала ей не понравилась внешность Глеба. Он был неплохо сложен, но имел заметное брюшко. Темные волосы подстрижены очень коротко, и заметно, что уши чуть оттопырены. Губы тонковаты. Но тут Глеб улыбнулся, широко, открыто, и все изменилось. Его лицо осветилось и стало невероятно притягательным.

— Разрешите, я украду вашу собеседницу, — обратился к актеру Глеб и, не дождавшись ответа, помог Алисе подняться с дивана, затем увел ее на балкон. — Тут поспокойнее, — сказал он. — Можно нормально познакомиться. — И представился.

Алиса тоже назвалась.

— А я вас узнал, — улыбнулся Глеб. — Вы некоторое время встречались с одним из моих футболистов, я видел фото в светской хронике.

— Вы тренер?

— Нет, я агент. А вот мой отец когда-то был заслуженным тренером Советского Союза. От него мне передалась любовь к футболу.

— Сами играли?

— Только с пацанами во дворе. Я, видите ли, ботаник. Или алгеброид, как сейчас принято называть таких, как я, заумных чудиков. Меня больше привлекало учение, нежели спорт. Особенно интересовался историей. Но и в математике хорошо разбирался. Поэтому думал, куда поступать после школы: на исторический или математический.

— И что же выбрали?

— Так и не смог этого сделать, поэтому учился на двух факультетах. На одном днем, на другом вечером.

— Выходит, у вас два высших образования?

— Три. Я потом еще юридическое получил. Говорю же вам — алгеброид.

В таком духе они и беседовали. Больше говорил Глеб. И не то чтобы хвастался, а себя рекламировал. Как он потом признался, так хотел произвести на Алису наилучшее впечатление, что немного перегнул палку.

С вечеринки они уехали вместе. Причем домой к Глебу. Но не затем, чтобы заняться сексом. Алисе обещали показать редкую коллекцию английских гравюр и напоить английским же чаем, привезенным из Лондона, куда Глеб ездил совсем недавно.

Ее новый знакомый обитал в отличной квартире. Она была просторна, со вкусом обставлена, а из окна открывался изумительный вид на реку. Чай они пили, стоя возле него. Из невесомых фарфоровых чашек. Оказалось, он и их коллекционировал.

— Есть еще что-то, что ты собираешь? — поинтересовалась Алиса. Они перешли на «ты» по дороге.

— Книги по искусству.

— И все?

— Все.

— А как же футболки с автографами знаменитых футболистов? — усмехнулась Алиса. — Я ожидала увидеть на стенах именно их, а не гравюры, на которых изображены английские аристократки.

— Футбол — моя работа, и только. Я занимаюсь ею из-за денег. А они мне нужны. Я человек, склонный к сибаритству.

— К роскоши, удовольствию и праздности?

— Праздность исключим. Я не лентяй. Но люблю все красивое, дорогое, редкое... Удобное, добротное, солидное... Вкусное опять же... — Он хлопнул себя по животу и подмигнул. — Поэтому, когда отец предложил мне попробовать себя в роли спортивного агента одного из своих подопечных, я согласился. Знал — те получают процент. И если я «продам» игрока в хороший клуб, то отлично заработаю.

— Сразу получилось?

— Нет. Пока не набрался нужных знаний (учился на юридическом три года и осваивал английский с немецким) и опыта, еле сводил концы с концами. Зато теперь жаловаться грех. По крайней мере, на материальную сторону жизни.

— А на какую бы ты пожаловался?

— Мне тридцать два, а я, как видишь, не женат. Я тебе больше скажу: у меня нет любимой девушки.

— Почему? Не можешь увлечься всерьез?

— Могу и увлекаюсь.

— Значит, боишься серьезных отношений?

— Стремлюсь именно к ним!

— Быстро разочаровываешься в избраннице и бросаешь?

— Меня бросают, Алиса, не я, — криво усмехнулся Глеб.

— И по какой причине, если не секрет?

— Я только на первый взгляд неплохой вариант: обеспечен, здоров, неглуп, чистоплотен и так далее...

— Забыл добавить — симпатичен.

— Поскромничал. — Лицо Глеба вновь озарила улыбка. Вместе с губами кверху бежали и уголки глаз, и взгляд становился лукавым.

— Так что со вторым взглядом?

— Со мной сложно, а по словам некоторых, невыносимо.

— Ты тиран?

— Боже упаси! Я либерал и никогда не ограничивал права и свободы своих женщин.

— Тогда в чем твоя невыносимость?

— Я крайне занятой человек и очень мобильный. То есть у меня много дел в разных уголках мира. Сегодня в Москве после приятно проведенной ночи завтракаю со своей девушкой, планирую вечер с ней, обещаю сводить в театр, а в выходные познакомиться с ее подругами. Но днем оказывается, что я должен завтра утром кровь из носу быть, скажем, в Осло. Я заказываю билеты, мчусь домой за вещами, потом в аэропорт, лечу, заселяюсь в гостиницу, сплю несколько часов, иду на встречу... И только в обед, когда расслабляюсь за фужером вина, вспоминаю, что не позвонил своей девушке и не предупредил ее о том, что не смогу повести ее в театр, а скорее всего, и с ее подружками познакомиться.

— Да. Это не очень хорошо.

— Согласен. Она делает вывод, что мне на нее плевать, раз я позволяю себе так поступать, потому что для того, чтобы позвонить, нужно каких-то пять минут. Но хуже другое. Когда я возвращаюсь в Москву, то не мчусь к ней и не прошу ее примчаться, я отмываюсь с дороги, отсыпаюсь, читаю, потому что в самолетах делать этого не могу, а потребность в этом имею. Не то чтобы я не соскучился, нет. Просто мне нужна передышка.

— А она опять делает вывод, что тебе на нее наплевать?

— Или что она у меня не одна.

— Хочешь, я тебя удивлю?

— Попробуй.

— У меня примерно та же ситуация. — Она подняла палец. — Примерно! То есть я занятая и мобильная. Поэтому не могу уделить своему мужчине достаточно внимания. Из-за этого...

— Они тебя бросают? В это не поверю!

— Они мне изменяют, и их бросаю я. — Алиса поставила опустевшую чашку на подоконник и сказала: — Мне пора.

Он вызвал Алисе такси, проводил ее до машины и на прощание поцеловал в щеку. Потом, когда у них завязались отношения и дело дошло до откровений, он сказал, что страстно ее желал, но держался в рамках приличия, боясь спугнуть. На втором свидании, состоявшемся спустя несколько дней, вел себя так же по-джентльменски, только прощальный поцелуй был не в щеку, а в губы. Потом она улетела в Швецию, а он — Германию. Созвонились, уже находясь за границей.

— Хочешь, я приеду к тебе? — спросил Глеб.

— Хочу, — просто ответила она.

Он купил билет на самолет, прилетел к ней в Стокгольм. Там, в люксе отеля «Рэдиссон» с видом на гавань, между ними произошла первая близость. В нем же —вторая, третья, пятая, десятая — они остались в Швеции на двое суток, затем поехали в Германию и оттуда вместе вернулись в Москву.

...Алиса выбежала из подъезда и огляделась. У Глеба был «Мерседес-«S-класса» редкого чернильного цвета. В нем сочеталось все то, что он так любил: дороговизна, комфорт и красота.

Увидев машину, она двинулась к ней. Глеб вышел, чтобы открыть перед ней дверь.

— Привет, — поздоровалась с ним Алиса. — Ты, как всегда, галантен.

— А ты, как всегда, прекрасна. — Он поцеловал ее в щеку. — Как ты? В норме?

— Да, все нормально.

— Выглядишь отлично, но я, кажется, повторяюсь.

— Сью считает, что сегодня я похожа на серую мышь.

— О да, она же эксперт по имиджу, — фыркнул Глеб. — Садись скорее, а то замерзнешь, сегодня ветер.

Алиса села. Закрыв за ней дверь, Глеб обошел машину и забрался в салон. После того как он по просьбе Алисы отрастил волосы и сделал хорошую стрижку, выглядеть стал очень привлекательно. Сью даже стала называть его красавчиком, хотя первый раз, как увидела, скорчила разочарованную мину.

— Как твоя поездка? — спросила Алиса.

— Более чем удачно.

— Что это значит?

— То, что в перспективе — крупнейший контракт в моей карьере. Если заключу, то, выражаясь языком трудового законодательства, перейду на легкую работу. Иначе говоря, новых клиентов искать не буду, ограничусь уже имеющимися.

Это было здорово! Потому что пока виделись Алиса с Глебом редко. Если суммировать время, проведенное вместе, то за полгода набежит месяца полтора-два. Впервые за свою взрослую жизнь Алиса страдала из-за разлуки со своим парнем.

У нее было много мужчин. Если бы она взялась считать, то десятую их часть просто не вспомнила бы. С кем-то она уезжала с вечеринки, чтобы провести ночь, а потом больше не встречалась. Кто-то «завоевывал» Алису, заваливая комплиментами, букетами, подарками, а затащив в постель, терял к ней интерес (на заре карьеры такое случалось частенько — богатые пресыщенные дяди коллекционировали юных моделей). Кого-то она соблазняла, чтобы получить контракт или просто из любопытства: так ли мужчина, играющий героев-любовников, хорош в сексе, как его экранные герои? В таком вольном поведении не было ничего необычного. Все коллеги Алисы вели себя примерно так же. Кто-то лучше, кто-то хуже. Лучше те, у кого имелся серьезный покровитель, и они опасались его прогневать, хуже — кто пил или принимал наркотики, такие могли и в оргии поучаствовать.

Года в двадцать два Алиса наигралась с мужским калейдоскопом и решила воздерживаться, пока не встретится тот единственный, которому не захочется изменять. В поисках его прошло полгода. Не выдержав, она переспала со своим тренером по фитнесу. Но, как потом оказалось, именно он оказался ТЕМ САМЫМ. Отношения продлились почти год, но закончились по той причине, которую она озвучила, разговаривая с Глебом. После инструктора был начинающий музыкант, следом — банкир, затем — тот самый футболист, с которым ее любили фотографировать для светской хроники. Во всех этих мужчин она влюблялась, но уже в начале отношений Алиса знала, они долго не продлятся. Она даже стала подумывать о том, что сама себя программирует на фиаско. Но когда познакомилась с Глебом, поняла: это не так. Просто ТЕ были НЕ ТЕМИ. И она в глубине души это понимала. А Глеб...

Он, похоже, ее мужчина! ТОТ САМЫЙ.

Ей нравилось в нем все, но особенно — ум. Именно он возбуждал ее больше всего. Сама Алиса хоть и была неглупа, особой эрудицией не могла похвастаться. С Глебом она начала больше читать, интересоваться историей и искусством, да не современным, в котором воткнутая в унитаз ржавая труба считается скульптурой, а классическим. В странах, где бывала, раньше она носилась по бутикам, теперь ходила по музеям. А возвращаясь, привозила в подарок своему мужчине не прикольные боксеры или модный одеколон, а интересное панно, старинную книгу, миниатюру с видом, чашку для коллекции. Она и сама стала собирать фарфор и стекло. Увидев как-то в пражском магазинчике, затерявшемся на узкой улочке Старого города, очаровательную свинку-копилку, не смогла себе отказать в удовольствии ее приобрести. Там же ей приглянулся котик из богемского стекла. Его она тоже купила. С этих двух фигурок началась ее скромная коллекция.

— Я привез тебе подарочек, — сказал Глеб. — Открой бардачок.

Алиса заглянула в него и увидела коробочку с бантиком. Открыв ее, ахнула:

— Какой зайчик дивный! — Она достала фигурку и поставила ее на ладонь. — Сверкает, как бриллиантовый!

— Он хрустальный. Между прочим, старинная работа. Сделан в конце девятнадцатого века. Но есть небольшой дефект.

— Этот? — спросила Алиса, ковырнув пальцем небольшой скол на макушке зайца.

— Да, это отбившаяся дужка. Когда-то это была елочная игрушка. Якобы украшавшая рождественское дерево самого канцлера.

— Чудесный подарок, спасибо огромное!

Она вернула зайчика в коробку и убрала в рюкзак.

— Можно вопрос? — обратился к ней Глеб.

— Конечно.

— Если бы я не позвонил тебе ночью, ты бы сама сделала это?

— Да, — растерянно ответила Алиса. — Мы с тобой не на той стадии отношений, чтоб я считала чем-то зазорным первой звонить своему парню.

— Я не о том. Я позвонил тебе и услышал плач. Ты сказала, что умерла Коко и ты никак не можешь прийти в себя, лежишь в кровати уже полтора часа и не можешь уснуть.

— Так и было. А в чем дело?

— Я — твой мужчина, так?

— Так.

— Любимый?

— Ты хочешь моего признания сейчас, я не пойму? Давно не слышал? Хорошо, мне нетрудно повторить: я тебя люблю.

— Тогда почему ты не звонишь мне, когда у тебя горе? Не делишься со мной своей болью? — Он говорил спокойно, впрочем, как всегда, но Алиса видела — он взволнован. — Мне кажется, это естественно — желать, чтобы любимый мужчина утешил, а не хозяйка твоего агентства, которой ты позвонила перед тем, как лечь.

— Она была лучшей подругой Коко. Я связалась с ней поэтому. — Алиса протянула руку и накрыла ею ладонь Глеба, лежащую на рычаге переключения скоростей. — Не принимай все так близко к сердцу, хорошо?

— Я хочу жениться на тебе, Алиса, — тихо сказал Глеб. — Причем давно. Наверное, с той нашей первой ночи в Стокгольме. Как проснулся с тобой поутру, прижал, податливую, к себе, зарылся носом в твои волосы, почувствовал телом твое тепло, поймал себя на мысли, что хочу каждое утро, изо дня в день, из года в год пробуждаться с тобой. Уже тогда я чуть было не выпалил — выходи за меня. Но я понимал: нахожусь я в эйфории влюбленности, и прикусил язык. Потом я часто это делал. Желал позвать тебя замуж, но в последний момент воздерживался от предложения руки и сердца. И знаешь, почему?

— Считал, что мы недостаточно узнали друг друга?

— Вовсе нет! Я боялся отказа. Если бы ты ответила «нет», я бы пережил, конечно, но... Это все испортило бы. Как скол... на макушке твоего хрустального зайца. Он вроде бы и не заметен особо, и фигурку не портит, а все равно... изъян.

— Почему ты думаешь, что я скажу «нет»?

— Ты неправильно выразилась. Я не уверен, что ты ответишь «да». — И повернув голову, посмотрел на нее вопрошающе. Как бы побуждая ее его успокоить. Заверить в том, что ответ будет положительным. Но Алиса, несмотря на то что не колеблясь дала бы согласие на брак, уклончиво проговорила:

— Пока не попробуешь — не узнаешь.

Глеб скривил рот в унылой гримасе. Когда он так делал, Алиса дразнила его грустным смайликом. Но сейчас она была не в том настроении, чтобы шутить.

— Вот черт, — выругался Глеб, глянув на дорогу впереди: она была забита машинами. — Опять пробка. А ехать осталось всего ничего.

— Давай я выйду и добегу до дома Коко ножками. Тут напрямик метров пятьсот.

— Я хочу сопроводить тебя.

— Не стоит. Ты же говорил — у тебя встреча в одиннадцать.

— Да, но сейчас десять. Я успею.

— Не успеешь. Пока тут простоим, пока во двор заедешь, уже и обратно надо... по тем же пробкам. Да и мне лучше одной там побыть. Спокойно выбрать наряд. А зная, что ты спешишь, я буду дергаться.

— Ладно, понял. Тогда до вечера.

— Я позвоню, — бросила она и, послав Глебу воздушный поцелуй, выбралась из авто.

До дома Коко она дошла минут за пять. Открыла дверь, вошла в подъезд. За стойкой консьержа сидел не вчерашний Андрей, а Лаврентий Аскольдович, работающий в доме с таких давних времен, что, когда Коко въехала в него, он уже был тут лифтером.

— Здравствуйте, Лаврентий Аскольдович, — поприветствовала старика Алиса. — Как ваше здоровье?

— Не жалуюсь, спасибо, — с достоинством ответил тот. Самое поразительное, что он не обманывал. В свои восемьдесят консьерж был бодрее многих сорокалетних. И конечно же, бдительнее своих молодых коллег. Поэтому жильцы искренне желали ему богатырского здоровья и долгих лет.

Алиса ждала, что старик начнет расспрашивать ее о смерти Коко, но тот молчал. То ли уже все узнал, то ли проявил деликатность.

Поднявшись на лифте и выйдя из него, Алиса увидела, что дверь в квартиру Коко опечатана. Но это ее не остановило. Аккуратно разорвав бумажную полоску, она отперла замок и вошла.

В прихожей она по привычке хотела разуться, но вовремя остановилась — пол весь затоптан. Только сбросила с плеча рюкзак и расстегнула куртку. Зябко ежась, Алиса прошла в кухню, поставила чайник. На улице оказалось очень прохладно, и пока она шла к дому, продрогла. На столе громоздились грязные чашки, но их Алиса решила помыть позже. Сейчас надо заняться тем, за чем она явилась, то есть подбором погребального платья.

Одежды у Коко было немного. А все потому, что она была консервативна в ее выборе. Любила определенные фасоны, материалы, цвета. Не экспериментировала в угоду моде. Не снисходила до поточных вещей. В ее гардеробе было много винтажных вещей, попадались просто «жемчужины» от Диора и Живанши. В них она блистала в молодости, а благодаря тому, что ее фигура с годами не утратила стройности, Коко иногда надевала их и в зрелые годы. Алиса решила выбрать для похорон одно из них. Осталось решить, какое.

Открыв шкаф, Алиса пробежала глазами по вешалкам. Сняла две. Платья — бордовое с кружевным воротником и черное с атласной стойкой — положила на кровать и стала их рассматривать. Никаких указаний по поводу того, в чем ее хоронить, Коко не давала. И не имела сумки «на смерть», как, например, бабушка Алисы. Та лет за десять до своей кончины подготовила все, в чем бы хотела лежать в гробу.

...Вдруг из прихожей донесся скрип. Алиса напряглась.

Она не закрыла двери? Нет, такого быть не может. Замок автоматический и захлопывается сам.

— Кто здесь? — услышала она окрик.

Полиция?

— Отвечайте, или я звоню «02».

Да кто это, черт возьми?

— Это я звоню «02», — крикнула Алиса. — Уже набрала!

Тут дверь в спальню распахнулась, и на пороге возник высокий, широкоплечий мужчина в спортивных штанах, футболке и... тапках!

— Вы кто? — спросила Алиса, недоуменно уставившись на незнакомца.

— Я друг Коко. Зовут меня Данила, Дэн.

— Друг? Коко? — Она фыркнула. — Я знаю всех ее близких, и среди них нет никакого Дэна.

— Значит, не всех, — буркнул он.

— И как вы попали в квартиру?

— Вы дверь не закрыли.

— Серьезно?

— Замок в последнее время заедал и не захлопывался с первого раза.

— А вы что же... Вот так... по улице? — и ткнула пальцем в тапки.

— Я живу в этом же подъезде. Спускался к почтовому ящику, увидел, что печать сорвана, а дверь неплотно закрыта, вот и вошел.

— И давно вы с Коко дружите?

— Там шипит что-то, — сказал он, указав себе за спину.

— Чайник, — вспомнила Алиса и заторопилась в кухню. Дэн последовал за ней. — Вам заварить? — спросила у него Алиса.

— Я буду кофе.

Она открыла навесной ящик и достала из него турку и баночку с арабикой.

— Я растворимый люблю.

— Но Коко терпеть его не может, поэтому не держит...

Дэн молча подошел к ящику и открыл другое его отделение. В нем оказалась банка с «Якобсом».

— Как вы тут хорошо ориентируетесь, — поразилась Алиса. — Часто бывали в гостях?

— Да.

— Почему тогда я вас ни разу не видела? — Он пожал своими мощными плечами. — Более того, я о вас и не слышала.

— А я о вас — частенько. Вы ведь Алиса, так?

— Совершенно верно.

— Коко очень вас любила. — Он взял одну из грязных чашек, сполоснул, сыпанул в нее кофе. — Вы зачем тут?

— Выбираю платье для похорон.

— Из тех двух, что лежат на кровати? — Алиса кивнула. — Мне кажется, бордовое лучше подойдет.

Алиса и сама к тому склонялась. Бордовый — благородный цвет. Царственный. Викторианский. И это символично. Ведь они хоронят королеву... Викторию.

— Как вы познакомились? — спросила Алиса, усевшись на табурет с чашкой.

— Я только переехал в этот дом.

— И давно вы купили тут квартиру?

— Снял, — поправил ее Дэн. — Три месяца назад. Сейчас я живу на восьмом этаже, а до этого на пятом...

— Вы с восьмого этажа спускаетесь за почтой пешком?

Дэн нахмурился, и шрам, пересекающий густую русую бровь, побелел.

— Вы меня в чем-то подозреваете, не пойму?

— Я просто спрашиваю, — сделала она невинное лицо.

— Нет, вы допрашиваете. — Он сделал глоток кофе и скривился — забыл положить сахар. — Стараюсь не пользоваться лифтом, ходить, особенно по лестнице, полезно. Еще вопросы? Или я могу продолжить?

— Извините.

— Так вот я поднимался к себе в квартиру и по привычке нажал в лифте кнопку с цифрой «пять»... — Он резко замолчал. Затем, мотнув головой, выпалил: — Вот только не надо на меня сейчас так смотреть!

— Как?

— Как следователь, поймавший подозреваемого на лжи. Я был пьян. Поэтому по лестнице не пошел. Поднялся на лифте до пятого этажа, вышел и к двери направился. Ключ сую в скважину, а он не лезет. Тупо соображаю, что такое, как вдруг дверь распахивается, и я вижу на пороге незнакомую женщину. Это была Коко.

— И вы сразу подружились?

— Не сразу, но вскоре. Я в подъезде никого, кроме нее, не знал, и когда мне срочно понадобились спички, я спустился к ней, чтобы одолжить. Так, постепенно, и сблизились.

Договорив, он стал пить кофе, в который добавил три куска сахара.

Красивый, подумала Алиса, рассмотрев Дэна. Не только фигура хороша, но и лицо. Такому бы для журналов сниматься. Но если бы Дэн работал моделью, она бы его знала.

— Почему вы на меня так пристально смотрите? — спросил Дэн, оторвавшись от кофе.

— Не на вас, на чашку. — Она на самом деле перевела взгляд на нее.

— А что с ней не так?

— Она больше остальных, и на ней нарисован какой-то странный пес.

— Это Снупи. Вы что, не знаете такого?

— А должна?

— Герой мультика. Я в детстве его обожал. Поэтому Коко и купила мне чашку с ним.

— То есть у вас в ее доме была персональная чашка?

— Да. А у вас нет?

— Ни у меня, ни у Элены, ни у Васко. Я уж не говорю об остальных...

— И что из этого следует? — Он вернулся к кофе. Попивая его мелкими глотками, смотрел Алисе в глаза.

— Что вы были в ее доме самым желанным гостем.

— Вас это расстраивает?

— Нет. Но я удивляюсь тому, что она не представила такого близкого человека друзьям. Более того, она скрывала от них факт его существования.

— Может, просто не афишировала?

— Даже если так... Все равно странно. — И тут Алису осенило. — У вас были отношения! Вы не просто друг, вы ее любовник. А если учесть, что вы ее младше как минимум лет на тридцать, а скорее — сорок, то ничего странного в том, что Коко умалчивала о романе.

— Мы не были любовниками!

— Она всегда говорила, как ей противно смотреть на старух, связавшихся с молодыми. Ругала Элену за то, что она клюет на мужчин — ровесников ее сына...

— Вы меня слышите? — рявкнул Дэн. — Я сказал вам: мы не были любовниками!

Он с грохотом опустил чашку на стол, вскочил с табурета и, широко шагая, вышел из кухни. Несколькими секундами позже раздался хлопок двери. Судя по звуку, замок защелкнулся с первого раза.

Алиса допила свой чай и, взяв чашки, проследовала к мойке. Быстро сполоснула посуду и вернулась в спальню. Черное платье убрала в шкаф, бордовое сложила и сунула в пакет. Что еще? Туфли. Белье. Чулки. Хотя нет, пожалуй, гольфы — платье до середины икр. Украшения. Или это лишнее?

И все же Алиса решила, что серьги обязательны. Коко была фанатом этого аксессуара. Как она говорила, проколола уши, чтобы избавиться от комплекса. Когда-то в юности она переживала из-за своих оттопыренных ушей и постоянно закрывала их волосами. Но потом решила — хватит. Первым делом она сменила прическу, вторым — проколола уши. То есть не просто выставила свой недостаток на обозрение, но и привлекла к нему внимание. Поначалу смущалась, когда ловила на себе пристальные взгляды, потом привыкла. И наконец стала считать свою лопоухость изюминкой.

Алиса подошла к комоду, выдвинула ящик. В нем Коко хранила деревянную, «палехскую», шкатулку с украшениями. Когда-то она была полна драгоценностей. Но Виктория распродала почти все, оставила лишь несколько изделий. Когда Коко открывала шкатулку при Алисе в последний раз, в ней лежали три пары сережек, нитка жемчуга, крестик и то самое кольцо, которое потом обнаружилось в антикварной лавке при ломбарде. Хорошо, что Алиса купила его. Теперь у нее останется что-то на память о Коко.

Достав шкатулку из ящика, Алиса откинула крышку и ахнула. В уголке сиротливо лежал, поблескивая бриллиантовой крошкой, крестик. Ни бус, ни сережек. Ничего!

Ограбление? Но тогда бы воры забрали все. Крестик не так ценен, как жемчуг и камни в сережках, но и он стоит денег, причем не самых малых. Выходит, Коко сдала в ломбард все свои украшения. Тогда зачем оставила последнее?

Алиса собралась убрать шкатулку обратно, но увидела, что бархатная подушечка, лежащая на дне, чуть сдвинута, и из-под нее выглядывает не дерево. Что-то яркое и бумажное. Недоуменно нахмурившись, Алиса вынула подушку вместе с крестиком, положила на столешницу. Под ней оказалась фотография, сделанная простенькой цифровой «мыльницей» в Сочинском дендрарии.

Алиса бывала там и узнала беседку, окруженную сочной тропической растительностью. На снимке были изображены двое. Мужчина и женщина. Они стояли обнявшись и улыбались в объектив.

Обоих Алиса знала...

Это были Коко и Дэн.

Коко и Дэн, якобы познакомившиеся три месяца назад.

Вот только, судя по дате, стоящей в углу, они уже полгода назад вместе находились в Сочи.

Глава 3

Васко

Руки тряслись. Да так сильно, что, пока пил, полстакана расплескал.

— Девушка, еще минералки! — крикнул он официантке. Та кивнула и унеслась к барной стойке.

В этот неприметный ресторанчик он не зашел бы, так как предпочитал проверенные если не им, то хотя бы знакомыми заведения, если бы не нуждался в воде, виски и супе. Пить он хотел, потому что много говорил на допросе, алкоголя, чтобы снять стресс, а горячего требовал его пустой, да еще ноющий после ночных возлияний без закуски желудок.

Принесли второй стакан воды. Его Васко выпил целиком. Руки уже не тряслись, а чуть подрагивали. После ста граммов виски и этот тремор пройдет.

Васко снял с себя полупальто, повесил на спинку стула. В заведении имелся гардероб, но он не пожелал там раздеваться, поскольку озяб. Теперь ему стало тепло. Сидел Васко возле колонны, на которой висело зеркало. Он бросил взгляд на свое отражение и внутренне содрогнулся. Вид ужасный. И это исправить не сможет даже чудо-сыворотка.

Васко пересел, чтобы не видеть свою помятую рожу.

— Ваш виски, — услышал он голос официантки. — И отдельно лед, как просили.

— Что там с моим харчо? — спросил Васко, добавив в «Джек Дениэлс», а скорее, его контрафактный аналог, два кубика льда.

— Через пять минут будет готово.

Васко кивнул. Пока он будет расправляться с виски, суп приготовится и настоится.

Зазвонил телефон. Васко потянулся было к карману, в котором он лежал, но передумал вытаскивать сотовый. Пусть звонит, в ближайшие двадцать минут его ни для кого нет.

Алкоголь подействовал быстро. Васко почувствовал приятное тепло в желудке. Оно разливалось по телу, неся с собой покой.

Телефон, замолчав, вновь затренькал через несколько секунд. Васко сунул руку в карман и, не вынимая аппарата, отключил у него звук.

Когда принесли суп, стакан опустел. Васко заказал второй.

«А неплохое местечко, — подумал он. — Оно бы понравилось Коко...»

Коко...

Мысли о ней не оставляли Васко.

Виктория... Его королева.

Сколько лет он любил ее? Элена бы сказала, — почти полвека. Но она ошибалась...

Да, Васко питал к Коко чувства долгое время. Сначала любил, надеясь. Потом — упрямясь. После — оправдываясь перед самим собой. Легче было сказать: у меня не получилось создать семью, потому что я любил всю жизнь одну-единственную...

Пожалуй, он так бы и умер с этими мыслями, если бы не один человек, внезапно появившийся в его жизни. Он все расставил по местам. И Васко понял, что не любит больше Коко. Причем настолько охладел к ней, что ему все равно, жива она или мертва...

Коко, естественно, об этом не узнала. Как и Элена. Обе продолжали думать, что для Васко не существует никого, кроме его королевы.

Отбросив мысли о Коко, он принялся за харчо. Суп оказался на удивление вкусным, наваристым. В тарелке лежал кусок баранины на косточке. Васко оставил ее на «десерт». Он всегда съедал сначала жижу, потом картофель, крупу, капусту, в зависимости от того, какой суп, а под конец — мясо.

Поев и расплатившись, Васко покинул ресторан. Почти у входа он поймал такси и поехал к себе в студию. Прошли времена, когда под нее была оборудована одна из комнат его квартиры. Чудом он умудрился купить небольшое помещение и разместить в нем мастерскую. Тогда просто все удачно совпало: он получил хороший гонорар, и тут же ему подвернулась жилплощадь по бросовой цене.

До студии он доехал за полчаса. Через неплотно закрытые жалюзи пробивался свет, значит, его ассистент (он называл его учеником) занят делом.

— Леша, у нас клиент? — крикнул Васко, войдя в помещение.

— Да, — откликнулся парень. — Но мы почти закончили...

— Я могу войти?

Ответ был утвердительным, и Васко толкнул дверь непосредственно студии. Спросил он, можно ли войти, не просто так. В последнее время стало модным сниматься обнаженными и дарить фотографии в стиле ню мужьям или любовникам на незначительные праздники типа Дня всех влюбленных. Бывало, что мужчины снимались голыми для своих дам. Реже они же, но для кавалеров — геи обычно пользовались услугами «своих». Васко обнаженку снимать не любил. Поэтому поручал ее ученику. Но первое время процесс контролировал и замечал, как некоторые стесняются. Вроде и решились обнажиться, а как дошло до дела, зажались. Скованность мешала женщинам правильно себя подавать. Только привыкнув к фотографу, они расслаблялись. Как говорил Леша, ловили волну. Но не всем удавалось. Была пара клиенток, так и не справившихся со смущением и ушедших без фотографий. Не дай бог сейчас на площадке такая. Умчится, как испуганная лань, завидев постороннего мужчину, и не видать им гонорара.

Но на сей раз перед объективом фотокамеры была женщина одетая. Причем полностью. На ногах высокие сапоги с оторочкой. Тело погребено под мехами. А на голове — совершенно невозможная шляпа из голубой норки.

— Последний кадр, милая, — обратился к ней Леша. — Сделай его красивым...

Женщина послала в камеру воздушный поцелуй. Леша сделал вид, что он в восторге.

Закончив съемку, парень проводил клиентку до двери и велел приходить завтра. Вместе они выберут удачные кадры, он их отредактирует, а нужные отпечатает.

— Что это за меховой стог? — спросил Васко у ученика, когда за женщиной закрылась дверь.

— Хороша, да? — улыбнулся тот. — Ни за что раздеваться не захотела.

— Может, у нее под овчиной, чернобуркой и норкой копыта, хвост и рога?

— Все гораздо проще: женщина получила страховку, ухнула ее всю на те вещи, о которых мечтала в годы своей молодости, но не могла купить. Фото сделала на память. А еще — чтобы отослать родственникам и подружкам юности в провинцию. Дабы завидовали.

Васко усмехнулся и покачал головой.

— Тебе Оскар звонил, — сказал Леша, усевшись за компьютер.

— Сюда?

— Ну да. Ты по сотовому не отвечаешь.

— Точно! — Васко хлопнул себя по лбу. Звук отключил и забыл.

Достав телефон, он обнаружил пять неотвеченных вызовов, три — от Оскара. Стал набирать ему, но у сына Элены телефон оказался отключенным. Наверное, тот, как всегда, забыл поставить ночью на зарядку.

— Ох уж эти современные аппараты, — проворчал Васко. — Так быстро разряжаются...

У него самого был респектабельный «Верту» трехлетней давности. И солидный, и энергоемкий. А что функций мало — так и хорошо, не запутаешься. Когда Васко нахваливал свой аппарат, Оскар смеялся и обзывал его старичком. По его мнению, равнодушие к техническим новинкам больше выдает возраст, чем седина или морщины.

— Посмотри, как наша мадам получилась, — окликнул Васко Леша.

Тот подошел к столу, за которым он сидел, и глянул на монитор.

— Она так вспотела в своих мехах, что лицо свекольное, — заметил он.

— Ничего, сделаю цветокоррекцию. Зато как кокетливо мадам смотрит из-под полей. Можно отличный портрет сделать...

Что Васко нравилось в Леше, так это его увлеченность. Он любил то, чем занимается. И видел красоту там, где другой не заметит. Он напоминал ему себя в молодости, поэтому Васко и взял в ученики именно Лешу.

Их знакомство состоялось год назад в агентстве Элены. Васко забежал поздороваться с подругой и узнать, нет ли для него работы. В коридоре столкнулся с парнем дикого вида: голова выбрита по бокам и на затылке, а на макушке длинные волосы, заплетенные в косу, спускающуюся до лопаток, в носу несколько сережек, в ухе дыра, в которую палец можно засунуть, а руки все в цветных тату. Васко неплохо относился к людям неформального вида, сам выделиться любил, но во всем же нужна мера. Достаточно косы. Или тоннеля в ухе. Или татуировок. Молодые же люди так увлекались всем и сразу, что становились похожими на инопланетных монстров.

Впоследствии оказалось, что парень работает в журнале Оскара графическим дизайнером. Увлекается фотографией. Делает отличные снимки природы. А вот с людьми работать не умеет, иначе его бы взяли в штат еще и фотографом. Васко, посмотрев работы парня, оценил их высоко. А так как на тот момент остался без ассистента, предложил Леше попробовать себя в этом качестве. Тот с радостью согласился.

— А тут у тебя что? — спросил Васко, увидев, что один из пластмассовых контейнеров, в которые они кладут распечатанные фотографии, полон. — Вроде всем клиентам все раздали.

— Это я свои снимки распечатал.

— Можно взглянуть?

— Конечно. Мне важно твое мнение.

Васко вынул фотографии и стал просматривать. На всех была изображена одна и та же девушка. Весьма симпатичная, но уж очень ярко накрашенная. Леша снял ее со стеклянным шаром размером с мяч. Ракурсы были разными, и на снимках он был то больше, то меньше, то закрывал часть лица модели, то отражал его, то забивал в кадре, то возвеличивал, а на одном обожествлял — походил на нимб.

— Отличные работы, Леша, — похвалил ассистента Васко.

— Я назвал эту серию фотографий «Космос».

— Голова — планета, а шар — ее спутник?

— Земля и луна.

— Хорошая идея. Но ты ошибся с выбором модели. Надо было взять девушку иного типа: блондинку, а лучше русую, с прозрачными глазами, тонкой кожей, через которую просвечивают вены, и не красить ее так ярко.

— У меня не было выбора, — усмехнулся Леша. — Модель — моя девушка. Эту сессию я сделал для нее.

— Какое-то лицо знакомое. Мы с ней когда-то работали?

— Нет. Но ты можешь ее знать, Сью — подруга Алисы Карповой, главной звезды агентства Элены.

— Точно, я видел их вместе.

— Она нас и познакомила. Я, правда, сомневался, что у меня есть с ней шанс, уж очень Сью шикарна, но мы поладили...

Васко удивился, услышав эти слова. Девушку можно было назвать какой угодно, но не шикарной. Или современная молодежь вкладывает в это прилагательное какое-то другое понятие? Искажает его смысл по незнанию? Коко была шикарной: роскошной, изысканной, изящной, модной, светской. Элена ею и остается. А Алиса стремится к тому, чтобы стать, но, на взгляд Васко, пока не дотягивает до уровня своих покровительниц.

Васко собрался вернуть фотографии в ящик, но тут увидел, что вынул из него не все. Несколько штук были меньшего формата, и он их не заметил.

— Да, я хотел спросить, когда ты сделал эти кадры? — спросил Леша, увидев в руках Васко те самые снимки.

— Я?

— Ну да.

— Это не я, — сипло прошептал Васко, пересмотрев все четыре снимка.

— Это же твоя подруга. Коко, кажется. И стиль твой.

Тут дверь в студию распахнулась, и на пороге возник Оскар. Взгляд его тут же устремился на фотографии Коко, которые Васко все еще держал в руках.

— Эти снимки сделал ты? — спросил он хрипло.

— Да вы сговорились, что ли? — возмутился Васко. — Нет, это не я фотографировал Коко. Хотя это, бесспорно, странно, поскольку последние годы, сложившиеся в десятилетия, она только мне доверяла это делать.

— Тогда откуда они у тебя?

— Я нашел их тут... — Он указал на ящик. — А что, ты тоже их видел?

Он кивнул.

— Знаешь, что это?

— Да, конечно, это портреты моей подруги Виктории, — терпеливо ответил ему Васко. Оскар определенно сегодня не в себе.

— Это ее посмертные портреты!

Васко с ужасом посмотрел сначала на Оскара, затем на них и растерянно спросил:

— И как эти фотографии могли попасть к нам в студию?

— Значит, их сделал кто-то из вас двоих. Вот только кто: ты или твой ученик?

Глава 4

Дэн

Она опаздывала! Впрочем, как всегда.

Хоть бы раз явилась вовремя. Так нет, хотя бы на пять минут, но задержится. «Женщине положено опаздывать!» — жеманно отвечала она на упреки Дэна и шлепала его по руке.

Кто бы знал, как ему это не нравилось. Это, а еще много чего...

Но Дэн все равно ее любил.

Подошла официантка. Кокетливо улыбаясь, предложила еще кофе. Дэн отказался от него и попросил принести воды.

Когда девушка удалилась, он повернулся к окну и стал смотреть на собаку, что сидела, грустно моргая, под фонарем. Судя по гладким бокам и ошейнику, животина потерялась. Дэну стало жаль ее. Но не настолько, чтобы взять к себе. Хотя когда-то он именно так и поступил бы. Ребенком он тащил в дом кошек, собак, ежей, раненых птиц, а повзрослев, привел бездомную девушку...

Ему было двадцать три. Он уже больше года жил в Москве, работая со своим бывшим тренером Митяем. Тот как афганец, уйдя в отставку, получил сертификат на приобретение жилья. Думал дом себе купить с участком, да чтоб дом в два этажа, а участок в тридцать соток, но выделенной государством суммы на такие роскошества не хватило бы. Хотел Митяй умерить аппетиты, но тут его боевой товарищ в столицу позвал. Сказал: помощник надежный в одном деле нужен. Дело это денежное, и если Митяй поднапряжется, то за год заработает себе на вожделенные хоромы.

Поехал Митяй. А Дэн за ним увязался. В деревне для него занятий не было, а дед вроде сам справлялся.

Оказалось, держит однополчанин Митяя спортзал, в котором нелегальные бои проводят. А так как доход этот бизнес ощутимый приносит, то решил он расшириться. Но один побоялся не справиться, вот на подмогу проверенного боевого товарища и позвал.

Митяй за дело взялся рьяно. И Дэна пристроил. Парень то ставки принимал, то выпивку разносил, то ринг от крови отмывал. Хотя мог бы на нем кулаками махать — ему хозяин предлагал неоднократно. Но Дэн твердо решил: никаких больше боев, и довольствовался ролью мальчика на побегушках.

Жили они с Митяем сначала в зале, потом тренер квартиру купил. Маленькую, жалкую, зато в Москве. Понял он, что не хочет в деревне барствовать, лучше в столице остаться и заняться делом. До старости-то еще далеко!

Дэну тоже в Москве нравилось. Тем более он стал букмекером и теперь занимался только принятием ставок и выдачей выигрышей. И перспективы имелись. Когда босс откроет третий бойцовский клуб, в первом, самом маленьком, освободится место главного, поскольку Митяй станет во втором управлять. И тому и другому это было обещано. Оставалось подождать год-другой.

Как-то Дэн, уходя из зала последним, заметил у мусорного бака человека. Он рылся в нем, но как-то брезгливо. Брал двумя пальцами пакет, рассматривал на свет, затем аккуратно возвращал на место.

— Вы что-то нечаянно выбросили? — обратился Дэн к человеку.

Тот, вздрогнув, обернулся, и Дэн увидел девичье лицо...

О, что это было за лицо! Огромные глаза с длиннющими ресницами. Носик пуговкой. Румяные щеки. Пухлый рот. Дэну девушка напомнила повзрослевшую Аленку с обертки шоколада. У нее даже платок на голове имелся. А из-под него короткая волнистая челка торчала.

Дэн так загляделся на лицо красавицы, что не сразу заметил, как она грязна. Руки черные, одежда в пятнах, явно с чужого плеча, на ногах рваные валенки размера сорок пятого. «Аленка» несколько секунд стояла, испуганно глядя на Дэна, потом сорвалась с места, чтобы убежать, но Дэн остановил.

— Не бойся меня, — сказал он, схватив девушку за руку. — Не обижу...

— Пусти, — прошептала она и попыталась вырваться.

— Ты есть хочешь?

Она закивала головой.

— Пойдем, покормлю тебя.

Но девушка вцепилась в бак, не желая идти в зал.

— Да что с тобой такое?

— Ты меня изнасиловать хочешь. А может, и убить! Нет, не пойду. Я лучше с голоду умру.

— Хорошо, сиди тут, я еду вынесу. Но ты же грязная вся. Неужели хотя бы руки помыть не хочешь?

— Хочу, — грустно сказала девушка.

— Как тебя зовут?

— Аленка.

— Брось.

— Правда. Лена по паспорту. Но папа Аленкой называл всегда...

— А где он?

— Умер.

— И больше у тебя никого?

— Мать. Но она меня из дома выгнала, когда мужика нового привела. Побоялась, что уведу.

— Пьет?

Алена тяжело вздохнула.

Она все же дала себя уговорить зайти в помещение. Пока Дэн грел воду для чая и резал бутерброды, девушка была в душе. Вышла оттуда чистая, с мокрыми волосами, вот только в том же тряпье.

— У меня нормальная одежда была, — сказала она. — Но с меня ее сняли.

— Кто? — испугался Дэн, решил, что девушку изнасиловали.

— Бомжи. Приютили меня, потом напились и раздели. То, что сейчас на мне, нашла в подвале и на помойке.

— Я не понимаю, почему ты по подвалам с бомжами шаралась? У тебя что, нет знакомых?

— Я на вокзале ночевала сначала. Потом меня приметили и прогнали. А знакомых нет. Я не москвичка. Приехала из Ярославля на электричках.

Думала, тут как-то устроюсь. Хоть посудомойкой, хоть уборщицей.

— И что же?

— У меня паспорт украли. Никто без него не берет.

Она еще долго рассказывала Дэну о своей несчастливой жизни. И он, слушая историю Аленки, думал, что ему в принципе не так уж и не везло. По крайней мере, всегда рядом были люди, готовые помочь.

— Значит, так, — сказал он, когда девушка наелась и напилась. — Тут я тебя оставить не могу, но пущу в подвал. Принесу туда маты, подушку, плед. Переночуешь в тепле и безопасности. Утром приеду, покормлю тебя, и будем решать, что делать.

На следующий день он чуть свет уже был в зале. Привез Аленке не только еду, но и одежду. Пусть она была мужской и большой для нее, но чистой. Магазины утром закрыты были, он не смог ничего купить, поэтому одолжил девушке свои штаны, толстовку, куртку, а кроссовки у Митяя позаимствовал, у него нога только до сорокового размера выросла, Данила же сорок четвертый носил.

— Надо в Ярик тебе ехать, — решил Дэн. — Восстанавливать паспорт.

— Как же я в таком виде? — и подтянула штаны, держащиеся на тесемке.

— Одежду я тебе куплю сегодня. Денег на билет дам. Завтра можно отправляться.

— Я не хочу туда возвращаться! — чуть не плача, выкрикнула Алена. — Мать меня на порог не пустит. Родственников нет! А знакомые что? Долго у себя меня продержат? Кому посторонние нужны?

— Тебе необходим документ, удостоверяющий личность. Получишь — вернешься.

— Ты прав... Но можно я не завтра поеду? Тут так хорошо, тепло. Хочется немного в себя прийти...

— Конечно, оставайся, только веди себя тихо. Я тебе журналов вечером принесу, будет чем заняться. А пока поспи.

— Да, — пробормотала она, свернувшись калачиком на мате. — Я так давно нормально не спала...

Дэн хотел оставить Алену дня на три, а получилось — на две недели.

Поначалу они проводили вместе от силы два часа. Он забегал к ней утром, а в самом конце дня, когда в зале никого не оставалось, открывал подвал, давая девушке возможность принять душ, постирать, посмотреть телевизор. Но как-то Дэн поймал себя на мысли, что чувствует себя не благодетелем, а тюремщиком. Загоняет ее в подвал и держит там, как пленницу. Неправильно это! Но и оставить ее в самом здании он не мог. Вдруг кто явится в неурочный час? Ключи от зала есть у многих. И решил тогда Дэн ночи с Аленой проводить! Митяю врал, что познакомился с девушкой с квартирой и у нее ночует, а сам на работе оставался.

То, что он любит Аленку, Дэн понял, когда впервые поцеловал. А случилось это на четвертый день их знакомства. Он уже и одел Лену, и денег ей дал, и ничего не мешало ей ехать в родной город.

— Завтра я провожу тебя на вокзал, — сказал он, доведя ее до двери в подвал. «Прогулка» закончилась, пора было возвращаться в «камеру».

— Хорошо... — покорно проговорила она.

— Но я буду тебя ждать.

— Не будешь.

— Хочешь сказать, я обманываю?

— Нет. Сейчас ты думаешь так. Но пройдет время, и ты меня забудешь.

— Ты же не на годы уезжаешь!

— Все равно... — едва слышно выдохнула она.

Он не знал, что еще сказать, чтобы убедить ее. Поэтому поцеловал.

— Я буду тебя ждать, — повторил он, с трудом оторвавшись от ее губ. — Теперь ты мне веришь?

Она кивнула и, засмущавшись, уткнулась в его грудь носом.

Дэн обнял девушку, прижал к себе, погладил по волосам. Другую бы он уже раздевал, потому что возбудился. И не слушал бы возражений — девочки всегда ломаются, но сами хотят того же, что и парни. А к этой, любимой, относился с трепетом.

— Хочу побыть с тобой еще день, — услышал он. — Пожалуйста...

И он согласился. Тоже не хотел расставаться.

Прошла неделя. Началась вторая. Дэн стал оставаться в зале на ночь. И вскоре от поцелуев они перешли к ласкам более горячим и интимным, пока не занялись любовью. О да... именно ею, а не сексом. У Данилы душа парила, когда он проникал в Алену, и в этом было главное удовольствие.

— Вот пройдет большой бой, я возьму отгулы и поеду с тобой, — сказал Дэн Аленке накануне финального поединка каратистов.

— Здорово! — она захлопала в ладоши. — А давай завтра устроим романтический ужин при свечах?

— Давай, — улыбнулся Дэн.

— С шампанским? — Она знала, что Дэн его не любит. Он говорил ей, что от этого напитка его сразу клонит в сон.

— С чем захочешь.

Аленка кинулась на Дэна обниматься. Ее было так легко и приятно радовать!

Романтический вечер удался. Они пили шампанское, ели обожаемые обоими персики, слизывали с губ друг друга сок, занимались любовью, танцевали обнаженными под «Энигму». Уснули совершенно обессиленными.

...Пробудился Дэн от удара. Кто-то с силой пнул его под ребра. Парень вскочил, но тут же получил еще и по лицу. Самое странное, что бил его Митяй.

— Эй, ты чего? — вскричал Дэн, вставая в стойку. — С дуба рухнул?

— Сейчас ты у меня рухнешь, гаденыш! — Митяй снова выбросил кулак, но Данила смог увернуться. — Ты кого сюда водил?

— Никого.

— Да? То есть бабки ты украл?

— Какие еще...?

И не договорил, рухнул на пол, сраженный ударом в челюсть.

Очнулся Дэн от того, что ему на лицо лили воду. Закашлявшись, он перевернулся на живот.

— Вставай, — услышал он голос Митяя. — Одевайся.

Дэн натянул на себя штаны и кофту. Пока делал это, оглядывался. Алены нигде не видно. Как и ее одежды. Услышала, что отпирается дверь, и спряталась? Вот умница!

Когда Дэн оделся, Митяй, уже более-менее спокойный, поманил его за собой. Они зашли в кабинет управляющего. Тренер молча ткнул пальцем в распахнутый сейф. В нем еще вчера лежали деньги, Дэн сам их туда убрал, приняв ставки. А сейчас... сейф был пуст!

— Нас ограбили?

— Сейф не взломан. Входная дверь — тоже. Сигнализация не сработала. Деньги украл свой. Но так как я знаю тебя, предположу, что кто-то из твоих дружков, которых ты, оказывается, сюда водишь, каким-то чудом выведал у тебя код и утащил бабки.

— Я не вожу сюда дружков, — запротестовал Дэн.

— Кого тогда?

— Девушку одну... Но я всегда с ней. Одну не оставляю...

— И где она сейчас?

— Спряталась, наверное.

— Какой ты дурачок еще, — покачал головой Митяй. — Ну, пойдем ее искать, коль так.

Естественно, Алены в здании не оказалось. Как и ее новых вещей (старье так и валялось в углу подвала). Зато в мусорном ведре обнаружился пустой пузырек из-под клофелина.

— Ты где эту бабу нашел? — ужаснулся Митяй.

— У мусорного бака, — честно признался Дэн.

— Молись, чтобы девчонку нашли, а деньги вернули, иначе долг на тебя повесят.

— Я верну все до копейки! Буду даром работать...

— Биться ты будешь даром, — вздохнул Митяй. — Тебя сразу на ринг выгонят. Потому что только на нем ты сможешь быстро заработать и отдать. Но будем надеяться на лучшее, рассказывай, что знаешь о своей клофелинщице.

Дэн выложил все без утайки. Алену, подключив криминальные связи, начали искать.

И, как это ни странно, отыскали довольно быстро, и двух суток не прошло.

Ее на самом деле звали Леной-Аленой...

На этом правда заканчивалась!

Лена родилась и прожила до шестнадцати лет в ближайшем Подмосковье. Отец ее был жив, но из семьи он ушел давным-давно. Мать не пила и хахалей не водила, была добропорядочной женщиной строгих правил. Дочке под ее крылом было нестерпимо скучно, и она постоянно сбегала из дома. Пока была несовершеннолетней, ее возвращали. Отмывшись, отъевшись, пролечившись (цепляла многое: от банальной простуды до гонореи), Алена снова покидала родное гнездо.

Паспорт у нее не крали, она его оставила в залог, когда занимала крупную сумму.

Промотав ее, девушка связалась с каким-то гопником. Заманивала одиноких прохожих мужского пола в подворотни, где их поджидал ее дружок. Иногда направлялась с ними домой и тогда опаивала их клофелином. Парня вскоре прирезали, Алена осталась одна, но ненадолго. Благодаря своей внешности она легко знакомилась с парнями, а актерский талант помогал ей с ними сблизиться. С одним она была сексуальной пустышкой, с другим — своей в доску, с третьим — рассудительной и мудрой. Она притворялась такой, какой ее хотели видеть. Ей бы побольше ума и терпения, могла бы многого добиться. Но Алена была беспутной, жадной до денег и удовольствий дурой. Поэтому в свои двадцать четыре (не девятнадцать, как она говорила) Аленка не имела даже своего угла. Моталась по мужикам, ни у одного надолго не задерживаясь.

Последний, с кем Лена провела несколько дней, ее чуть не убил. Это у него остались ее вещи. Выбежала за порог в одних трусах и лифчике. Она, в принципе, сама собиралась от него слинять. Но — прихватив из квартиры деньги и золото.

Чтобы сделать это беспрепятственно, Лена добавила в водку любовника клофелин. Но то ли у него был очень крепкий организм, то ли она слишком мало капнула, но мужик отрубился не сразу. Сначала чуть не удушил Аленку, поняв, что она его опоила. Пришлось, чудом вырвавшись, бежать вон из квартиры, слушая его вопли о том, что он вызывает полицию.

Так Аленка оказалась на улице без одежды и денег, в белье и с пузырьком клофелина, засунутым в лифчик. Полуобнаженной и босой она добежала до мусорного бака. Увидела, что на его ограждении висит старое, но крепкое шерстяное пальто. Накинула на себя. Стала искать обувь. Но, как назло, ничего, кроме дырявых валенок, не обнаружила. Пришлось в них ноги сунуть и давать деру.

...А через трое суток Дэн увидел Аленку возле бака их спортзала. Она рылась в нем, надеясь отыскать замену стоптанным валенкам.

Девушка «прочитала» Дэна быстро. И поняла, что с ним ей нужно быть беззащитной, доброй, наивной и бесконечно несчастной. То, что на момент знакомства она была в рванье, сыграло на имидж как нельзя лучше. Дэн пожалел ее, как когда-то жалел бездомных котят и кутят, и притащил, условно говоря, в дом.

Она не собиралась надолго задерживаться. Отогреться, откормиться, отмыться, приодеться, и только. Но потом подумала, что неплохо еще и отсидеться, поэтому и задержалась. Манипулировать Дэном было легко, ведь он не на шутку влюбился. Но вскоре Лене надоело вести жизнь затворницы. Без алкоголя, легких наркотиков и приключений она заскучала. И когда Данила сообщил ей о своем намерении отправиться с ней в Ярославль, решила: пора валить. Вот только не с пустыми руками же!

Когда она открыла сейф, код от которого знала, так как подглядывала за Дэном, когда он набирал его, то чуть не завизжала от восторга. Она не рассчитывала на удачу в несколько сотен тысяч рублей. На эти деньги можно и паспорт выкупить, и приодеться, и уехать куда-нибудь на курорт. Не важно, что зима на носу, все равно у Черного моря приятнее тратить шальные деньги.

Но не успела она осуществить свои планы. Поймали ее и... наказали. Вновь отобрали паспорт и отправили в бордель отрабатывать то, что успела потратить. Дэн пытался помочь девушке, но ему сказали, что с ней по-божески обошлись. Могли бы и покалечить. Больше он об Аленке не слышал.

... Когда Дэн стряхнул с себя безрадостные воспоминания, собаки за окном уже не было. «Буду думать, что она нашлась!» — сказал себе Данила, отвернувшись от окна.

Сделал он это как раз вовремя, потому что та, кого он ждал вот уже двадцать минут, улыбаясь, шла к его столику.

Высокая, статная, но не худая. Одета по-спортивному. Длинные мелированные волосы забраны в хвост, а густая челка доходит до глаз, закрывая веки. Из-под нее выглядывают озорные глаза зеленого цвета. На носу россыпь мелких веснушек. Верхняя губа чуть приподнята, отчего лицо выглядит немного удивленным.

Женщине на вид лет тридцать пять — тридцать семь, на самом же деле — пятьдесят.

— Привет, милый! — поздоровалась она с Дэном, наклонившись и чмокнув в щеку. В нос ему ударил аромат классических духов «Мисс Диор».

Это он подарил ей их, решив, что те, которыми она пользовалась до этого, слишком вульгарны.

— Здравствуй, Нина. Ты, как всегда, опоздала.

— А ты, как всегда, ткнул меня в это носом.

Она щелчком подозвала официантку.

— Пятьдесят граммов клюквенной «Финляндии».

— К сожалению, у нас в баре ее нет... — начала было оправдываться официантка, но Нина не дала ей договорить:

— Так сбегайте в магазин, он через дорогу, купите и налейте мне пятьдесят граммов клюквенной «Финляндии». Не слышали разве, что желание клиента — закон?

— Мама, перестань, — одернул ее Дэн. И обратился к девушке: — Клюквенного морса принесите, пожалуйста. И меню.

— Сколько раз я тебя просила не называть меня мамой, — капризно протянула Нина. — И я не хочу просто морса. Закажи мне еще водки, пусть и обычной.

— Ты слишком часто пьешь.

— Неправда! Я замерзла, хочу согреться...

Он протянул руку и накрыл ею ладонь матери.

— Горячая. Так что не ври. Ты просто желаешь выпить.

— Перестань разговаривать со мной, как с алкоголичкой, — возмутилась Нина. — Если ты трезвенник, то это не значит, что все должны стать такими же.

— Все не должны, а вот язвенники — да. Забыла про свою болезнь?

— Ты разве дашь, — проворчала та.

— Мам, ну, правда, не надо тебе...

— Да знаю! Но мне так скучно, сил нет. Эта диета дурацкая. Сидя на ней, я не только тощей стану, но еще и разговаривать начну с английским акцентом.

— Не понял?

— Овсянка, сэр, у меня и на завтрак, и на обед. А ужинать мне ею уже не хочется. Так что не нуди, малыш, дай маме оторваться. Она потом таблеточку выпьет, и все будет хорошо.

И Дэн, как всегда, уступил ей. Потому что любил.

...Нина вернулась в жизнь Дэна неожиданно. В детстве он мечтал об этом. На каждый день рождения загадывал одно и то же желание. «Хочу, чтоб мама была со мной!» — шептал он перед тем, как задуть свечи. Но годы шли, а мама не возвращалась. Устав ждать, Данила выкинул из головы все мысли о ней. И став взрослым, не попытался отыскать блудную родительницу. Дед его в этом поддерживал. Но как-то позвонил внуку и спросил:

— Ты с матерью своей познакомиться не хочешь?

— Нет, — ответил Дэн, не задумываясь.

— Вот и я так думаю, не надо...

— Дед, а с чего ты вдруг спросить решил?

— Да письмо она мне прислала.

— Мама?

— Твоя мама, моя дочь. Нинка.

— И что в письме?

— Слезы, сопли... сказки.

— Это как?

— Ну, как? Прощения просит, раскаивается во всем...

— Это, я так понимаю, слезы и сопли. А что за сказки?

— Не сбегала она от нас. Отправилась на поиски счастья, чтоб им поделиться с тобой и со мной.

— Как поэтично! Только, судя по всему, поиски затянулись, а скорее зашли в тупик, и с пустыми руками, без счастья то есть, возвращаться ей было стыдно?

— Может, и нашла, раз написала. Телефон свой оставила. Просила звонить. Я не стал. А ты, если хочешь, свяжись с ней. Продиктовать тебе номер?

Данила медлил с ответом.

— Нет так нет, — принял за него решение дед. — Пока, малой.

— Подожди, — поспешно выпалил Дэн. — Дай все же номер.

Дед продиктовал его, внук записал.

Бумажку с заветными цифрами Дэн кинул на подоконник и несколько дней старательно делал вид, что не замечает ее. Но как-то вечером решительно взял и, пока не передумал, набрал мамин номер.

Они говорили недолго. Нина оказалась не из тех, кто любит общаться по телефону. Назначив Дэну встречу на завтра, она отсоединилась.

...Он ждал ее у памятника Маяковскому. Волновался страшно. Пока утром брился, весь изрезался, и теперь щека кровила. Дэн то и дело тер ее, делая еще хуже. Нина опаздывала. И это еще больше нервировало Данилу. А что, если не придет?

— Привет, — услышал он звонкий женский голос.

Дэн обернулся на него и увидел женщину, которую узнал по старым фотографиям. Его мать не сильно изменилась за годы отсутствия. Даже не поправилась, хотя обычно женщины крупной комплекции с возрастом становятся грузными. Все снимки, виденные Дэном, были черно-белыми, и на них не разберешь, какого цвета волосы

Нины. Ему казались темными. Но сейчас перед ним стояла русая женщина. Природный свой цвет она оживила светлыми прядями и выглядела с ними моложе своего возраста. Впрочем, дело было не только в волосах. У нее и кожа была гладкой. А в глазах искорки.

— А ты красавчик, — заметила Нина, окинув взглядом Дэна.

— Тут, кроме меня, еще четверо парней стоят. Почему ты решила, что я — твой сын?

— Ну, во-первых, остальные все страшненькие, а мой родился очаровашкой.

— А во-вторых?

— Ты копия своего отца.

— И кем же он был?

— Я все тебе расскажу за фужером вина. Пойдем, посидим где-нибудь.

Она была под легким хмельком. Как потом оказалось, это было привычное Нинино состояние. Она пила часто, но понемногу, как сама говорила, для блеска глаз.

Они зашли в первое попавшееся заведение, сели за столик. Нина сделала заказ на свое усмотрение. Она вела себя непринужденно. Как будто пришла в кафе не с сыном, которого бросила четверть века назад, а с давним своим ухажером.

— Расскажи, как поживаешь? — обратилась к Дэну мать.

— Нормально.

— Это не ответ. Чем занимаешься?

— Работаю, — пожал плечами он. Дэн в отличие от матери чувствовал себя крайне неловко, поэтому и отвечал так односложно.

— Так, отменяем вино. — Нина позвала официантку и велела принести клюквенной водки.

— Я не пью, — покачал головой Дэн.

— Совсем?

— Крайне редко.

— Вот сегодня тот крайне редкий случай, когда надо выпить. А то ты как чурбан сидишь. Так кем работаешь?

— Водителем.

— Для шоферюги ты слишком дорого одет.

— Я вожу очень большого человека, у меня неплохая зарплата.

Принесли водку и лимон. Нина отправила официантку на кухню, узнать, когда будут готовы салаты, и сама разлила алкоголь по стопкам.

— За встречу! — провозгласила она и, чокнувшись с Дэном, залпом выпила.

Сын только отхлебнул водку и убрал стопку в сторону.

— Я жду твоего рассказа... мама.

— Называй меня Ниной, хорошо? — Когда Дэн согласно кивнул, она начала рассказ: — Твоего отца я встретила в столовой кондитерской фабрики, на которой работала. Мы с девочками пришли на обед, сидим, едим, болтаем, я глаза от тарелки поднимаю и... Вот веришь, просто слепну! Идет от двери к раздаче мужчина невероятной красоты. Таких я только в кино видела. Высоченный блондин с дымчатыми глазами. А одет как! Костюм по фигуре и галстук с искрой. Он тоже на меня внимание обратил. Улыбнулся слегка, взгляд мой поймав. Но есть в другой зал ушел. Я уже думала, не увижу его больше, ведь ясно, что командировочный. Но нет, оказалось, приехал он на полгода. Фабрика новое оборудование закупила, и Андрей, так его звали, главный инженер по его установке и наладке.

Принесли салаты. Нина подвинула к себе «Цезарь» и стала с аппетитом его поглощать, похрустывая сухариками.

— Неделю мы с Андреем переглядывались в столовой, пока не познакомились, — продолжила она. — И буквально через два часа после этого оказались в постели.

Дэн едва не подавился кусочком помидора, который пережевывал в тот момент. Таких откровений он не ожидал!

— Посчитал меня распущенной? — усмехнулась Нина. — Что ж... Ты прав, наверное. Я монашкой никогда не была. И если мне мужчина нравился, я не мурыжила его в угоду приличиям. Но в постель сразу не прыгала. Стадия флирта мне тоже интересна. Но Андрея я возжелала сразу, как увидела. Так бы прямо в столовой ему отдалась...

— Я тебя умоляю, давай без интимных подробностей.

— Хорошо, — покладисто согласилась мать. — Чтобы не травмировать твою слабую детскую психику, скажу, что у нас начался роман. Длился он все то время, что Андрей находился в нашем городе.

— А потом он уехал?

— Да.

— Бросив тебя беременную.

— Он не знал. Я тоже. До Андрея у меня уже были мужчины, от двоих из них я сделала аборты. Потом не предохранялась, так как мне сказали, что вряд ли смогу иметь детей. Через полтора месяца после отъезда Андрея я выяснила, что беременна.

— Ты сообщила ему об этом?

— Он был женат. Имел двоих детей. И сразу сказал мне, что не собирается разводиться. У нашего счастья были временны́е границы. Но я решила, что пусть полгода, но мои.

— Ты сразу решилась рожать?

— Нет, на аборт записалась. Но передумала делать. Решила, что ребенок, наверное, подарок небес. Ведь я залетела вопреки всему. Вот только, когда ты родился, прости уж, я особой радости не испытала. Никогда о детях не мечтала. Однако допускала, что рожу их, когда замуж выйду. Но становиться матерью-одиночкой я никак не собиралась...

— Поэтому ты меня бросила.

— Я тебя временно оставила на попечение деда, — сердито поправила его Нина.

— Да. На двадцать пять лет.

— Ты так мне напоминал Андрея, что у меня душа рвалась. Я решила поехать в Москву, найти его и рассказать о тебе. Думала, он признает сына, захочет видеть его, помогать. А там, глядишь, и поймет, что я — та самая, которая ему нужна. С женой он не был счастлив...

— И что же, нашла?

— Да. И он так мне обрадовался! Мы в гостиницу сразу поехали и провели там всю ночь (жене он наврал, что уехал в срочную командировку). Андрей не мог от меня оторваться. Он всегда говорил, что я олицетворяю его идеал. И похожа на молодую Нонну Мордюкову, которая ему безумно нравилась.

— Ты совершенно на нее не похожа, разве что телом.

— Это сейчас. Я тогда в темный цвет волосы красила и без челки была. Пришлось подстричь, чтобы вот это закрыть... — Она убрала волосы со лба, и Дэн увидел глубокие морщины. С ними Нина сразу стала выглядеть на свои года. — Андрей помог мне устроиться на работу, снять квартиру. И мы снова стали встречаться.

— Постой, так ты ему сказала обо мне или нет?

— Понимаешь... — она замялась. — Я не хотела сразу вываливать на Андрея такую новость. Надо же человека подготовить сначала...

— Сказала или нет? — настойчиво повторил свой вопрос Данила.

— У Андрея была женщина до меня, вернее, после. То есть в тот промежуток времени, что мы не виделись. И она забеременела...

— Да мой папаша просто бык-производитель!

— Она говорила, что поставила спираль, но, оказалось, обманывала. Хотела ребенка, а Андрея посчитала хорошим спермодонором... Это не мои слова и не ее — его. Он попросил ее сделать аборт, но женщина отказалась. После этого он ее оставил. Сказал, что у него уже есть двое детей, и другие ему не нужны.

— Жестоко.

— Справедливо! Ведь он сразу это обговаривал, до того, как сблизиться.

— Так что ж не предохранялся?

— Первое время — всегда. Потом, когда начинал доверять женщине, переставал. Сам знаешь, секс в презервативе не остер...

— То есть ты его оправдываешь? — разозлился Дэн. — Хотя о чем я? Он по крайней мере своих законных отпрысков не бросал. В отличие от тебя.

Он ждал, что Нина расплачется. Но у нее даже глаза не увлажнились. Она спокойно встретила гневный взгляд сына, затем взяла с тарелки лист салата и принялась его жевать. Руки ее не дрожали, тогда как у Дэна ходили ходуном.

— Ты из меня монстра не делай, — вновь заговорила она. — Я тебя не на помойке оставила. И не в детском доме. С дедом.

— Ребенку мать нужна.

— Наверное. Но я как-то обходилась без нее.

— Твоя умерла, это другое.

— Это тебе дед сказал? — усмехнулась Нина. — Так вот наврал он тебе. Жива она. Бросила меня, совсем крохотную, только родившуюся, даже к груди ни разу не поднеся.

— Так твоя мать тоже кукушка? Это что, наследственное? — Он обхватил голову руками. — А я всегда считал, что те, кого матери бросают, становятся отличными родителями.

— То, что я тебя оставила на попечении своего отца, не делает меня плохой.

— Ты правда так думаешь?

— Я хотела как лучше. И для тебя, и для себя. Останься я в деревне, несчастны были бы оба. — Она махнула стопку водки. Уже третью. Но оставалась все в том же, чуть хмельном, состоянии. — Андрей был старше меня. И его дети уже учились в старших классах. Я думала подождать пару лет, а потом поставить вопрос ребром. Но старший сын сразу после школы вляпался в историю, отец его отмазывал. Потом у дочки проблемы со здоровьем начались... В общем, затянулось дело. Вместо двух пять лет прошло. И когда проблемы позади остались, сказал он мне: «Я сделал для детей все, что мог. Наконец я заживу для себя... и тебя! Как здорово, что нам для счастья не нужен кто-то третий...»

— Ты ради мужика отказалась от ребенка. Да, отличная мать! Только я что-то обручального кольца у тебя на пальце не вижу. Неужели принесенная жертва не умилостивила бога?

— С женой он не развелся, как и говорил. Но был со мной. До самой своей смерти.

— То есть твой Андрей умер не так давно?

— Восемь лет назад.

— Но объявиться ты решила только сейчас. Что-то не сходится...

— Я очень переживала кончину Андрея. Ходила к психологу даже. И в приемной доктора я познакомилась мужчиной, тоже недавно потерявшим любимую. Это нас сблизило...

— В общем, ты нашла себе другого мужика и решила устроить жизнь с ним. Сын-подросток явно помешал бы личному счастью. Тут мне все ясно. Один вопрос: этот тоже умер?

— Нет, мы расстались недавно.

— После чего ты почувствовала себя одинокой и вспомнила об отце и сыне.

— Я не забывала о вас ни на минуту.

— Так что ж ты ни разу не приехала нас навестить? — заорал Дэн, чем напугал посетителей кафе. — Не позвонила, не написала письма, не прислала поздравительной открытки на мой день рождения?

— Не могли бы вы потише, — обратилась к нему подбежавшая официантка.

— Да пошла ты! — рыкнул на нее Данила. Затем, вынув из кармана купюру и бросив на стол, вылетел из кафе.

Мать догнала его на улице, схватила за руку.

— Что ты хочешь, чтоб я сделала? — воскликнула она. — На колени упала? Посыпала себе голову пеплом? Сердце вырвала?

— Просто исчезни из моей жизни. У тебя это хорошо получается.

— Если тебе на самом деле этого хочется, я так и сделаю. Но не принимай решение сгоряча, подумай... — Она отпустила его руку. — Мой номер у тебя есть, захочешь встретиться еще раз, позвони. — И развернувшись, торопливо зашагала к метро.

Он не стал провожать ее взглядом. Поймал машину и поехал домой, будучи уверенным, что не позвонит.

Однако не прошло и недели, как Дэн набрал номер Нины. Он понял, что любит ее вопреки всему.

...Она смотрела на сына вопросительно, и он понял, что, задумавшись, пропустил какую-то ее реплику.

— Ты что-то сказала?

— Да. Я задала тебе вопрос. — Взгляд изменился, стал значительным. — Ты сделал то, что должен был?

— Да. Со второй попытки.

— Почему сорвалась первая?

— Я ввалился в квартиру, когда в ней уже находился другой человек.

— Кто?

— Алиса. Она так аккуратно надорвала ленту на двери, что я этого не заметил и вошел.

— Как же ты выкрутился?

— Пришлось нагромоздить кучу вранья. Эта девушка, как прокурор, закидала меня коварными вопросами. Но я вроде выкрутился. Даже придумал убедительную историю о том, как мы познакомились. Вот только девушка решила, что я состоял с Коко в интимных отношениях.

— Это логичный вывод. Его и полицейские сделают. И будут тебя пытать на допросе, так ли это.

— Меня уже допрашивали, если ты помнишь. Майор Сергеев, явившийся ко мне домой.

— Он опрашивал, — поправила его Нина. — И не тебя конкретно, а всех соседей. Вскоре за тебя персонально возьмутся. Так что ключ от квартиры Виктории лучше отдай мне, а то вдруг обыск будет.

— Я его выбросил.

— Да, так лучше.

— А она мне понравилась, — задумчиво сказал Дэн.

— Кто?

— Алиса. Она совсем не такая, как на фотографиях. На них она богиня, в жизни человек... Просто очень красивый.

— Не о том думаешь, — посуровела Нина. — Забыл, что поставлено на карту?

— Помню, помню... — со вздохом проговорил Дэн.

— А теперь давай поедим спокойно. И поговорим о чем-то приятном.

Дэн и сам понимал, что нужно немного отвлечься, поэтому начал рассказывать Нине забавную историю из Интернета. Она слушала, кивала и улыбалась. А Дэн думал: и почему именно с ней, женщиной, которая его предала, ему так легко и спокойно? Лучше, чем с кем бы то ни было...

Часть третья

Глава 1

Элена

Если бы не Оскар, она бы упала. Но сын крепко поддерживал Элену под локоть.

Гроб плавно заехал в топку. Дверка с грохотом захлопнулась, отгораживая живых от мертвой.

Звук ударил по ушам, и Элена покачнулась.

Раздался плач. Это не выдержала Алиса. Она крепилась весь день, так же как и Элена, но нервы сдали. Ее жених тут же обнял девушку, и она уткнулась лицом ему в грудь.

— На тебе лица нет, — услышала Элена голос сына. — Давай выйдем на воздух.

Она кивнула и дала Оскару вывести себя из крематория.

На улице ей и правда стало лучше. Но лицо все еще горело, и Элена протерла его снегом.

— Мама, что ты делаешь? — упрекнул ее Оскар. — У меня влажная салфетка есть, могла бы попросить. — Он полез в сумку, но Элена его остановила:

— Уже не надо.

— Возьми хотя бы платок.

Из дверей крематория стали выходить остальные. Их было немного — большинство людей ушло сразу после панихиды. Остались самые близкие, которых Элена знала, да еще опер Сергеев, имени которого она то ли не знала, то ли не запомнила, и парень модельной внешности, виденный ею впервые.

— Ты не знаешь, кто это? — спросила она у сына.

— Нет. Может, журналист?

— Не похож. Да и что ему тут делать? О Коко все забыли. Времена, когда сам Живанши хотел сделать ее лицом своего Дома моды, а Феллини снять в кино, канули в Лету... — Элена почувствовала, как к горлу вновь подступает комок. — Она была истинной королевой подиума. Первой и единственной манекенщицей тех времен, кого признали на Западе...

Голос сорвался, Элена разрыдалась.

Она познакомилась с Викторией, когда та еще была начинающей. Элена, уже опытная манекенщица, про себя подсмеивалась над ней. Девушка казалась ей неуклюжей и не годной для работы на подиуме. Потом оказалось, она просто на каблуках ходить не умеет.

Она вообще была мало развита в этом плане. Обычно красивые девушки ее возраста все знали о прическе, макияже, маникюре, Виктория же поражала своим невежеством в этих областях. Как-то Элена предложила той сходить с ней за компанию в варьете. Коко с радостью согласилась. Но, когда узнала, что надо принарядиться, сникла.

— У тебя нет выходного платья?

— Нет.

— Ты работаешь манекенщицей и не имеешь...?

— Я не так давно работаю. Пока не подарили.

— Так купи сама или закажи у портнихи.

— Боюсь, куплю или закажу не то.

— Ладно, я тебе одолжу платье. У меня есть одно, которое тебе пойдет очень. Но оно дымчатое, и чтобы ты с ним не слилась, сделай стрелки пожирнее и губы ярче накрась.

— Может, ты меня накрасишь?

— У тебя что же, и косметики нет?

— Есть. Но я краситься не умею.

— Ты с луны, что ли, свалилась, девушка?

— Почти, — улыбнулась Виктория. — Я выросла в таком захолустье, где помаду, как реликвию, из поколения в поколение передают. И красятся ей только по праздникам.

После того похода в варьете девушки не виделись месяца два. Элена сдавала сессию, потом отдыхала с мамой в Кисловодске. Когда вернулась в Москву, встретилась на показе в ГУМе с Викторией и не узнала ее. Внешне девушка оставалась все той же, даже прическу не сменила — ракушка на затылке стала впоследствии ее визитной карточкой, а вот подавать себя стала иначе. С уверенностью и каким-то аристократическим достоинством. И если первое легко объяснялось — Виктория быстро научилась и краситься, и наряжаться, и уверенно ходить на каблуках, то откуда взялось второе, Элена понять не могла. Ее мать всегда говорила: «Девушка может уехать из деревни, а деревня из девушки никогда», и она с нею соглашалась, гордясь тем, что не просто городская — столичная. Но Виктория своим примером опровергала их общее мнение. В ней не осталось ни капли провинциальности. Как будто она была налетом пыли на античной статуе из мрамора. Подуй на него, и без следа исчезнет...

— Мама, возьми себя в руки, — услышала Элена голос Оскара. А потом увидела, как к ней торопливо шагает Васко с каким-то пузырьком в руках.

— Прими, — сказал он ей, вытряхнув на ладонь таблетку.

— Что это?

— Мощное успокоительное. В аптеке посоветовали. Утром купил, выпил и, как видишь, отлично держусь.

Элена сунула таблетку в рот.

— Только снегом не заедай, — пробубнил Оскар, — у меня вода есть.

Она запила таблетку и стала ждать, когда подействует.

— Элена Александровна, мы можем поговорить? — обратился к ней Сергеев.

С разрумянившимися на морозце щеками он выглядел еще привлекательнее. И как бы ни была расстроена Элена, она это отметила.

— Извините, пожалуйста, я забыла, как вас зовут.

— Михаилом.

— Михаил, я не против ответить на ваши вопросы, но мы поминальный обед заказали. Надо ехать в кафе.

— Давайте, я вас до него довезу. По дороге поговорим.

— Хорошо. Я сейчас предупрежу своих.

Через пять минут она забиралась в салон «Лады» и с тоской смотрела на «БМВ» сына. Там подогрев сидений, много места, хорошая музыка, наконец. А тут холодно, тесно, пахнет бензином и какой-то ужасной хвойной отдушкой.

— Сейчас печку включу, согреетесь, — сказал Сергеев, заметив, что Элена передернулась. Он думал, она только от холода.

— А что за молодой человек на похоронах присутствовал, не знаете? Он в сторонке стоял. Высокий такой...

— Это сосед вашей покойной подруги Данила Власов. Не упоминала она о нем?

— Нет, — ответила она, не задумываясь.

— А по его словам, они тесно общались.

— Может быть. Коко была очень культурным, вежливым, располагающим к себе человеком. Консьержам всегда небольшие подарочки преподносила, с соседями ладила и, если сталкивалась в подъезде, беседовала...

— У Власова в квартире Виктории есть персональная чашка.

— А это вам откуда известно?

— Известно, — уклончиво ответил Михаил. — Как думаете, у нее мог завязаться роман с молодым человеком?

— Категорически нет. Она с предубеждением относилась к людям, выбирающим себе партнеров гораздо моложе себя.

— Всех рано или поздно начинают путать бесы.

— Если с Коко такое и произошло, то она скрыла это от меня. И я все же сомневаюсь, что «бесовская путаница» имела место быть. После смерти последнего супруга Коко, как она сама выражалась, запечатала коробочку. Или же — отказалась от секса.

— С чего такое самопожертвование? Неужели так сильно любила покойного благоверного?

— Любила, безусловно. А вот плотские утехи — нет. Секса желала редко, но, будучи в отношениях, своим избранникам в нем не отказывала. Считала своим долгом дать мужчине то, в чем он нуждается. Ее третий супруг оставался, опять же по словам Коко, стойким оловянным солдатиком чуть ли не до смерти. Тогда как либидо Коко снизилось до нулевой отметки. Ее удивляло, что мне, примерной ее ровеснице, все еще интересен секс.

— Значит, воздержание для нее было не мукой, а подарком самой себе?

— Да. Поэтому я очень сомневаюсь в том, что Коко вступила в интимные отношения. Тем более с молодым жеребцом.

— Полюбила и стала давать мужчине то, что ему нужно, как делала всегда.

— Вам сколько лет, если не секрет?

— Тридцать шесть.

— Вы бы захотели секса с женщиной нашего с Коко возраста?

— Если она выглядела бы, как Коко или вы, возможно.

Она задала этот вопрос неспроста. Хотела знать, есть ли у нее шанс сблизиться с ним. У Элены давно не было отношений, а секс с молодыми жиголо не приносил того удовлетворения, к которому она стремилась.

— Кстати, вам я не дал бы больше сорока пяти, — продолжил Сергеев. — Очень удивился, узнав дату рождения.

— Спасибо, — поплыла Элена. — Но этот парень, Данила, он младше вас.

— И бесспорно, красивее, — усмехнулся Сергеев. — Я понял, к чему вы ведете. Но не забывайте о том, что некоторым юным смазливцам хочется поживиться за счет обеспеченных женщин в возрасте.

«Кому ты об этом напоминаешь? — мысленно продолжила диалог Элена. — Все, с кем я спала в последние два года, клянчили у меня подарки... Я покупала им их, давала денег, но им же все мало... Мальчики борзели, уже не просили, а требовали, да не сумку «Виттон» и куртку «Армани», с чего начинали, а спортивный мотоцикл или тачку. И как бы они ни привлекали меня физически, я расставалась с ними. Потому что становилось противно. Лучше совсем без мужчин, чем с такими. Да и мужчины ли они? Мне бы настоящего. Такого, как ты. Тебе я бы купила и спортивный мотоцикл, и тачку. Да только ты ведь не примешь...»

— У Коко не было денег, — вслух сказала она.

— Вы уже мне об этом говорили. Но вспомните слова вашего сына насчет квартиры.

— Да, но... — Она задумалась. — Завещание не найдено?

— Нет. Проведем, конечно, повторный обыск, более тщательный. Но мы считали, что Виктория Андреевна назначила душеприказчиком кого-то из близких, опрашивали всех...

— Ближе меня и Васко у Коко никого не было. И нам она не поручала следить за исполнением завещания. Она вообще о нем ничего не говорила. У подруги было неплохое здоровье, за которым она следила, и разговоры о смерти вообще не возникали...

— У нее вроде бы инсульт был.

— Да. Она полностью оправилась от болезни.

Машина подскочила на ухабе. Элена едва не стукнулась головой о крышу. Сергеев извинился за то, что не заметил препятствия.

— От какого яда она умерла? — спросила Элена у майора.

— Природного происхождения. В малых дозах это вовсе и не яд, а наркотическое средство. Но Виктории вкатили лошадиную дозу.

— У вас уже есть подозреваемые?

— Элена Александровна, вы прекрасно понимаете, что я не могу раскрыть тайну следствия.

Вроде бы стандартная фраза. Произнесена спокойным тоном. А Элена напряглась.

— Я тоже в списке подозреваемых? — сдавленно спросила она.

Он ответил не сразу.

— Консьерж, что дежурил в день убийства, описал всех, кто в течение дня заходил в подъезд. Среди них была женщина, очень похожая на вас.

— Это была не я. В тот день я не выходила из дома. Валялась в постели, хворала.

— Это может кто-то подтвердить?

Если по правде, то нет. Но Элена решила соврать:

— Сын. Он был со мной.

— Учтите, если мы проведем очную ставку, и консьерж вас узнает, неприятности будут и у вас, и у вашего сына.

— Я не боюсь.

— Причем никогда и ничего? — улыбнулся Сергеев.

— Ой, тут вы ошибаетесь. Я много чего боюсь. А особенно... змей! — На самом деле больше всего она страшилась старости. И только потом всего остального, включая рептилий. — Мы почти приехали, — сказала она. — Кафе через километр. Не отобедаете с нами?

— Нет, спасибо. Мне на службу нужно. — Он свернул на светофоре, проследовав за машиной Оскара.

— Вы не заметили на похоронах женщину? Она держалась в отдалении. Но пришла явно затем, чтоб проводить в последний путь Коко.

— Нет.

— А я обратила на нее внимание, но быстро потеряла из виду.

— Может, просто любопытная?

— Может. Но мне показалось, она исчезла сразу после того, как поняла, что я за ней наблюдаю.

— Нужно было сказать мне о ней раньше.

— Да, пожалуй, но мне как-то было не до этого...

— Впредь, пожалуйста, обо всем сообщайте мне. Даже о том, что на первый взгляд не кажется подозрительным. Может быть важна каждая мелкая деталь.

— Хорошо.

— Мой номер у вас есть. — Он затормозил возле кафе. — До свидания, Элена Александровна.

— До свидания.

И сама не понимая, что делает, послала ему воздушный поцелуй.

Сергеев опешил. И Элена, сгорая от стыда, торопливо зашагала к дверям кафе. Так бесстыдно она себя еще не вела! Лезть с поцелуями, пусть и воздушными, к молодому мужчине... мужчине при исполнении... да еще в столь скорбный день... это за гранью!

Глава 2
Алиса

В квартире пахло духами «Армани Мания». Сью их обожала. А вот Алиса едва терпела. Поэтому просила подругу брызгаться на балконе, чтобы запах не витал в воздухе и не раздражал ее обоняние. Обычно Сью так и делала, но сегодня, видимо, так торопливо собиралась, что решила не тратить лишних минут и подушилась в комнате.

Алиса чихнула. Подойдя к окну, открыла форточку. Пусть проветрится!

Хотелось пить. И Алиса пошла в кухню, чтобы взять из холодильника минеральную воду.

На поминальный обед они с Глебом не поехали. У обоих имелись дела. Их можно было отложить, но они решили этого не делать. Глеб довез Алису до офиса известного клипмейкера, контракт с которым она заключила последним, сказал, что, если сможет, вечером заскочит. Но так как вид он имел озабоченный, а телефон, переведенный в беззвучный режим, то и дело рычал, она сделала вывод, что он не сможет вырваться. Это в кои веки не расстроило. Ей хотелось побыть одной. Оставалось надеяться, что и Сью сегодня домой не явится. У нее начался роман с ассистентом Васко, и девушка иногда ночевала у него.

Помахав Глебу вслед, Алиса зашла в здание. Большого босса на месте не оказалось, так что визит не продлился долго. Она взяла сценарий ролика, посмотрела эскизы декораций и была свободна.

Съемки клипа были намечены на послезавтра. Завтра ее день полностью забит. И в салон надо сходить сегодня. От стресса у нее сохла кожа. Значит, лицу нужна восстанавливающая маска, а волосам интенсивное питание. «А мне лично расслабляющий массаж и кислородный коктейль...» — добавила Алиса и подняла руку, чтобы поймать такси.

В салоне она пробыла четыре часа. Люди, что там работали, знали, какого к себе отношения требует каждый постоянный клиент, и вели себя с ним соответственно. Алиса не изводила персонал капризами, придирками, ненужными советами, глупыми разговорами. Это было ее плюсом. Минусом — закрытость. Она не сплетничала с маникюршами, как остальные. Не посвящала парикмахера Стасика в свои интимные тайны. Не делилась своими планами с хозяйкой салона, обожающей быть в курсе всех событий. А вот на отвлеченные темы беседовала охотно. Но кому они интересны? В итоге все решили оставить Алису в покое и не досаждать ей разговорами. Так что четыре часа в салоне она провела исключительно с пользой. И вернулась домой умиротворенной.

Попив, Алиса вернулась в комнату. Разделась. У нее имелась дюжина красивых халатов: из шелка, кружева, атласа. Когда Глеб оставался у нее, она накидывала один из них поутру. Радовала взор любимого. Если б он увидел, в чем Алиса обычно расхаживает по дому, то был бы шокирован, поскольку она обожала мужские футболки гигантских размеров. Но это не самое страшное. Если она мерзла, то поверх накидывала толстовку, а на ноги натягивала вязаные носки. Выглядела она в таком виде некрасиво и антисексуально. Сью это ужасало. Она ругала подругу. Обзывала распустехой. Говорила, что женщина не может себе позволить превратиться в чучело, даже когда ее никто не видит. А Алиса уставала быть красивой и сексуальной: на работе, на встречах, с Глебом. Хотелось прийти домой и снять с себя сияющие доспехи. А под ними что? Простая холщовая рубаха. Или же... Мужская футболка гигантского размера.

Сегодня Алиса облачилась в любимую, яркокрасную, с надписью «Олимпиада 80» на груди. Футболку эту она нашла в бабушкином шкафу, когда разбирала его после ее смерти. Она была новая, с биркой. То есть пролежала на полке почти четверть века в ожидании, когда ее наконец кто-то обновит, но в их семье никто не носил пятьдесят восьмой размер. Алиса тут же приспособила ее под домашнюю одежду и носила с удовольствием. Тем более футболка после многократных стирок не растянулась, не полиняла, не покрылась катышками.

Носки, что Алиса натянула на ноги, тоже были бабушкиным наследством. Она хорошо вязала, но терпения ей хватало только на небольшие вещи.

Алиса забралась на диван, накрылась пледом и включила телевизор. Посмотрит немного, а потом спать. Но стоило ей откинуться на подушку, как зазвонил телефон.

Скорчив страдальческую гримасу, Алиса встала и пошла искать аппарат. Он обнаружился в кармане полушубка. Звонил Глеб.

— Добрый вечер.

— Добрый.

— Как ты?

— В порядке.

— Дома?

— Да, сижу перед теликом.

— Я скоро буду.

— Смог освободиться?

— Я приложил к этому максимум усилий.

— Глеб, ты знаешь, я тебе всегда рада, но... — Она ждала, что Глеб, как человек понимающий, закончит за нее фразу, но он молчал. Пришлось сделать это самой: — Но не сегодня. Я уже в кровати и собираюсь спать.

— Еще рано.

— Да, знаю. Но я устала за день. Да и вставать завтра рано.

— Алис, я уже у твоего подъезда. Позволь мне подняться ненадолго? Хочу тебя увидеть, поцеловать, мы тет-а-тет и не были эти дни. Я соскучился.

— Давай проведем завтрашний вечер вместе? Потом поедем к тебе?

— Утром я улетаю в Германию.

— Опять?

— Да. И это здорово, потому что на сей раз я отправлюсь туда для подписания контракта. Помнишь, я говорил тебе о нем? Я отхвачу большой куш, милая, и мы, когда я вернусь, так это отметим...

— Как?

— Расскажу. Но не по телефону. Так я могу подняться?

— Я тебя жду.

Отключившись, Алиса рывком стянула с себя футболку и запихнула ее в шкаф. Туда же плед. На то, чтобы все сложить аккуратно, времени не было. Халат, в который облачиться, она долго не выбирала. Стянула с вешалки длинный, кремовый, с разрезами по бедрам — Глебу он нравился больше всех. Где стояли домашние туфельки на небольшой платформе, она не помнила и осталась босой.

Запиликал домофон. Алиса открыла замок подъездной двери.

Так, что еще? Волосы в порядке, она недавно из салона. Лицо тоже. А вот зубы почистить надо бы. Она метнулась в ванную, сделала это. Нанесла на губы бальзам. Капнула на указательный палец ароматическое масло, растерла большим и провела подушечками по шее. Теперь на ней останется легкий, но стойкий аромат. Масла Алиса любила больше духов.

Звонок в дверь раздался как раз тогда, когда она вышла из ванной, чтобы встретить Глеба.

— Милости прошу, — сказала она, отворив.

— Как тебе это удается? — спросил Глеб, переступив порог.

— Что именно?

— Быть всегда такой безупречно красивой...

«Видел бы ты меня пять минут назад, — усмехнулась про себя Алиса. — Твой эстетический вкус был бы оскорблен моим видом...»

Глеб обнял ее за талию, притянул к себе, поцеловал в щеку.

— Какой же счастливчик, черт возьми! — Рука его скользнула ниже. Алиса почувствовала его ладонь на своей ягодице. Вот уже неделю они не занимались сексом. Глеб, конечно же, желал его. Но Алиса сегодня была не расположена к сексуальным играм. Поэтому убрала его руку со своей попы и велела проходить в комнату.

— Чай, кофе? — спросила она, направившись в кухню.

— Давай откроем бутылочку вина?

Алиса остановилась, обернулась. Глеб выпивал по особым случаям. Или если очень уставал и желал снять напряжение. Но тогда он принимал немного виски или коньяка. Вино же воспринималось им как напиток, способный подчеркнуть торжественность какого-то события.

— Большой куш еще не сорван, а ты решил это отметить? — поинтересовалась она.

Глеб покачал головой.

— Но повод есть?

— Еще какой.

— Тогда, может, предложить тебе скотч? У меня есть открытая бутылка.

— Принеси, пожалуйста, «Шато Шавель-Блан».

— То самое? — ошарашенно спросила Алиса. И получив утвердительный ответ, направилась к небольшому бару, оборудованному в кухне. Открыв дверку, сняла с полки бутылку ТОГО САМОГО вина.

Его Алиса привезла из Франции. Получила в подарок от известного модельера, являющегося знатоком вин. Вернувшись в Москву, она предложила Глебу распить его за ужином, чтобы отметить ее приезд. Он, глянув на этикетку, со священным трепетом произнес: «Шато Шавель-Блан» пятьдесят девятого года...» После чего велел убрать бутылку и сохранить ее до особо торжественного случая, потому что вино это элитное и стоит каких-то баснословных денег.

— Пятницы, как я понимаю, дома нет? — услышала она голос Глеба за спиной. Он стоял в дверях, держа в руках пакет из супермаркета, который принес с собой.

— Если ты о Сью, то да. Она отсутствует.

— Это радует.

— Тебе же она нравится.

— Да, она милая, непосредственная девочка. Очень забавная. Но сегодня она тут лишняя. — Глеб подошел к раковине. — Я фрукты купил. Сполосну.

И стал тщательно промывать каждый фрукт. Алиса сама была аккуратисткой, но даже ее Глеб поражал. Он любил чистоту на грани стерильности. Например, прежде чем убрать в холодильник бутылку молока, принесенную из магазина, он мыл ее антибактериальным средством, затем вытирал насухо, чтобы капля не упала на полочку и не оставила развод.

— Ты не голоден? — спросила Алиса. — В холодильнике есть вареная куриная грудка. Могу погреть ее тебе с йогуртом и черносливом или подать с кисло-сладким соусом и ананасом.

— Нет, спасибо. Я ужинал.

— А я ничего не ела сегодня, — вспомнила она. — Только чай пила и воду.

— Надо что-то покушать. Ту же грудку. Или даже ее нельзя в такое позднее время?

— И ее, — подтвердила Алиса. — Поэтому я ограничусь яблочком.

Она сложила помытые фрукты на тарелку и сунула ее Глебу. Сама взяла вино и фужеры, и они передислоцировались в гостиную. Разместились на диване.

Глеб молча наполнил фужеры. Всегда словоохотливый, сегодня он не походил сам на себя.

— У тебя что-то случилось? — забеспокоилась Алиса.

— Да. То есть... — Он шумно выдохнул. — Не знаю, как сказать.

— Неужели и с тобой такое бывает?

— Давай выпьем за нас! — И чокнувшись с Алисой, сделал несколько глотков.

— Да что с тобой сегодня такое? — воскликнула она. — Не ты ли говорил, что сначала надо поврашать бокал с вином, понюхать содержимое, отпить, подержать во рту, оценить букет и только потом глотать? — Сама она именно так и сделала. — Учил меня ритуалу, а сам пьешь без всяких прелюдий. Поэтому повторяю вопрос: что с тобой сегодня такое?

— Я тебя люблю, — сказал он. Прозвучало это признание как-то робко и немного растерянно. Как будто Глеб впервые произносит эти заветные слова. Но он уже много раз говорил их.

Алиса отставила свой фужер, вернула на тарелку яблоко.

— Хочешь меня бросить?

— Что? — он растерянно моргнул.

— Ты меня любишь, но хочешь расстаться, потому что я тебя близко не подпускаю, и у нас ничего не получится?

И тут он рассмеялся.

— Женщины, вы бесподобны! А отсутствие у вас логики делает вас еще прелестнее.

С этими словами Глеб полез в карман пиджака и достал из него бархатную коробочку.

— Я хочу сделать тебе предложение, Алиса. Но ужасно волнуюсь, поэтому сам не свой...

Глеб поднес коробочку к лицу Алисы и откинул крышку.

Яркий свет дюжины лампочек упал на камень, вправленный в белое золото. Он вспыхнул, ослепив Алису. Крупный бриллиант чистой воды. «Королевская» огранка. Это кольцо стоило ненамного дешевле «Мерседеса» Глеба.

— Какая красота, — выдохнула Алиса. Она спокойно относилась к драгоценностям, но бриллианты ее завораживали. И если она приобретала украшения, то только с этими камнями.

— Значит, угодил, — облегченно выдохнул Глеб. — А теперь, позволь, я все сделаю по правилам... — И встав на одно колено, спросил: — Ты станешь моей женой?

Алиса задержалась с ответом. Но не потому, что не знала, какой дать, отрицательный или положительный. И не затем, чтобы помучить Глеба. Просто ей хотелось запечатлеть в памяти этот момент. Запомнить каждую деталь. Посмаковать, как вино «Шато Шавель-Блан», открытое по особому случаю, свои эмоции. Чтобы через много лет рассказать своей дочери, как ее папа делал ей предложение и что она чувствовала в тот момент.

Но Глеб расценил ее молчание по-своему.

— Я понимаю, не самый лучший момент, — торопливо заговорил он. — Ты расстроена из-за смерти Коко... Да и место я выбрал неподходящее.

Надо было столик в ресторане заказать и кольцо в фужер кинуть... А лучше снять яхту... Хотя какая яхта? Зима ведь... — Глеб все больше сбивался с мысли. — И ты если хочешь, мы подождем до лета. Тогда все будет... Хоть воздушный шар. Да, наверное, это еще романтичнее...

— Я согласна, — перебила его Алиса.

Глеб осторожно переспросил:

— Согласна, правда?

— Конечно, правда, дурачок.

Он опустил голову ей на колени и тихо засмеялся.

— Неужели я это сделал?

— Ты мой герой. — Она погладила Глеба по волосам. — А теперь давай выпьем вина. Зря, что ли, открывали?

— Подожди...

Глеб распрямил спину и снова принял нужную позу. Вынув кольцо из коробочки, он надел его Алисе на палец. Размер оказался подходящим.

— Жаль, я не смогу носить его постоянно, — проговорила Алиса, любуясь игрой камня.

— Не хочешь, чтоб все узнали, что ты помолвлена? Тогда надень кольцо на другой палец.

— Мне все мои пальцы дороги, — хмыкнула Алиса. — И я не хочу, чтоб какой-то из них оторвали.

— Я подарю тебе еще одно, поскромнее. Чтоб ты не забывала, что окольцована мной!

Глеб обнял ее, прижал к себе. К нему вернулись и уверенность, и словоохотливость, и ирония. Алиса подала ему бокал. Они чокнулись и выпили. На сей раз с соблюдением всех правил.

— Какую ты хочешь свадьбу? — спросил Глеб.

— Я не думала об этом...

— Не может быть. Вы, девочки, лет с пяти начинаете планировать свою свадьбу, по мере взросления внося в сценарий коррективы. Каков последний вариант твоего?

— Надо вспомнить... — Алиса отщипнула от грозди одну виноградину и отправила ее в рот. — Мы с женихом приезжаем в ЗАГС на белом мотоцикле. Гости тоже, но на черных. Все в коже. Мы, ясное дело, в белой. Гости в черной. После — гонки по городу. И опен-эйр в загородном клубе вместо свадебного банкета.

— Сколько тебе было, когда возникла эта идея?

— Семнадцать. Я заканчивала школу и не знала, чем заняться после ее окончания. Как вариант рассматривала замужество. А так как в том возрасте мне очень... просто очень-очень... нравились байкеры, то намечтала вот такую свадьбу.

— Можно, конечно, организовать и такую. Я даже готов научиться водить мотоцикл. Но давай придумаем что-нибудь менее экстравагантное.

— Согласна. Но я не хочу классической свадьбы.

— Умница моя! — Он чмокнул Алису в щеку. — Я тоже. А пока у тебя нет варианта, могу я тебе предложить свой?

— Валяй.

— Когда я говорил тебе по телефону, что хочу отметить с тобой «сделку века», я имел в виду не банальный поход в ресторан.

— А что?

— Поездку в Великобританию. Я помню, ты говорила, что у тебя будет неделя свободная в конце месяца, и мы могли бы провести ее там.

— Может, лучше куда-нибудь к морю рванем?

— Ты не дослушала. Я хотел бы сыграть свадьбу в одном из замков или древних аббатств. Ты знаешь мое неравнодушие к истории Англии, Шотландии, Ирландии. Оно возникло в детстве, когда я зачитывался рыцарскими романами. И до сих пор мой интерес к Соединенному Королевству не угас. Именно поэтому я мечтаю провести брачную церемонию там. Где конкретно — не думал. Не стал забегать в своих грезах так далеко вперед. И если моя идея тебе нравится, мы могли бы поездить по Великобритании и выбрать место, в котором оба захотели бы сочетаться узами брака. — Он заглянул Алисе в глаза. — Как тебе моя идея?

— Очень нравится. Свадьба в замке — это здорово! И уж точно нетрадиционно. — Она представила картину, и она ей понравилась. Рыцарские романы она тоже в детстве любила. И представляла себя прекрасной дамой, из-за которой устроен турнир. — Можно будет сделать не обычный свадебный банкет, а тематическую вечеринку. И такую же фотосессию.

Она забралась на колени Глеба и обняла его за шею.

— Ты мой рыцарь, — нежно проговорила она.

— А ты моя прекрасная принцесса, — в тон ей ответил Глеб.

Их губы соединились...

Но тут зазвонил телефон.

— Твой или мой? — спросила Алиса. У них были одинаковые аппараты, и рингтон стоял один и тот же.

— Мой на беззвучном, — не переставая ее целовать, ответил Глеб.

Алиса решила игнорировать звонок. Но тот, кто желал с ней поговорить, был очень настойчив. И Глеб не выдержал, схватил со стола аппарат и выпалил:

— Алиса сейчас занята, она перезвонит вам попозже. Да, забыл добавить, с вами разговаривает не автоответчик, а ее жених...

Алиса рассмеялась и нежно куснула Глеба за мочку уха. Обычно он откликался на эту ласку тихим стоном. Она и сейчас ждала этого звука, но жених молчал. И тело его напряглось, а рука, сжимающая талию, разжалась.

Алиса отстранилась и вопросительно посмотрела на Глеба. Он все еще держал телефон у уха. Но не говорил, а слушал.

— Что-то случилось? — обеспокоенно спросила она.

Глеб опустил телефон и, глядя в пустоту, проговорил:

— Мужайся, Алиса. Произошло еще одно несчастье.

Глава 3

Васко

Он стоял возле автобусной остановки, зябко ежась. К вечеру похолодало, а на Васко были то же полупальто и замшевые ботинки, что и днем. Надо было заехать домой переодеться в пуховик с капюшоном и зимние кроссовки, но не нашлось на это времени.

Подул ветер. Васко спрятался от него за остановку. Больше всего мерзли ноги и голова. Полупальто было из кашемира и хорошо грело. Руки, сунутые в карманы, не окоченели, что тоже радовало. А вот на голову хотелось намотать шарф,

Ольга Володарская

131

Дефиле над пропастью

небрежно наброшенный на шею в качестве аксессуара.

Васко ждал Оскара. Тот находился неподалеку и обещал подбросить его до студии. Вообще-то у фотографа имелась своя машина, но он этой зимой ею не пользовался. А все потому, что не смог наскрести денег на новую шипованную резину. Авто было хорошим, и ставить на него дешевку не хотелось. А «родные» стоили запредельно.

Наконец, у остановки притормозила белая «бэха». Васко нырнул в ее теплый, дивно пахнущий салон.

— Вот оно, счастье, — выдохнул он, раскинувшись на кресле.

— Замерз?

— Как цуцик...

— Кто? — рассмеялся Оскар.

— Ты что, слова такого не слышал?

— Представь себе. И что оно означает?

Васко задумался.

— А черт его знает! Я ж не русский.

— Я тоже.

— Мать у тебя...

— На четверть немка, — напомнил Оскар.

— Да, точно. Я совсем забыл. А вообще надо узнать значение этого смешного слова. Я просто часто слышал это выражение «замерз, как цуцик», вот и запомнил.

— Секунду... — Оскар достал свой телефон и пробежался пальцем по экрану. Васко понял, что он зашел в Интернет. — Цуцик — диалектное название щенка или взрослого пса в южнорусских говорах, на территории Украины и Молдавии, — зачитал он.

— То есть я замерз, как собака? Нет, как цуцик мне нравится больше. — Он начал отогреваться. Пальцы ног приятно покалывало. — А ты куда так срочно сорвался с поминального обеда?

— В редакцию.

— Проблемы?

— Нет, идеи. Ты не представляешь, что я придумал!

— Расскажи.

— Нет, ты увидишь сам! Я внес одно изменение в уже утвержденный и подготовленный к печати вариант номера. Это будет бомба.

— Ты согласовал это изменение с матерью? — осторожно спросил Васко. Он знал, что все номера журнала выходили с одобрения Элены.

— Я — главный редактор, — сердито бросил Оскар. — И я решаю...

— Конечно, ты, — поспешно согласился с ним Васко. — Но Элена человек с опытом и вкусом. Ты же сам говорил, что ее советы для тебя очень важны.

— В этот раз я обошелся без них! — сказал, как отрезал. — И впредь хочу поступать так же. Я планирую немного изменить профиль журнала. Сделать его не таким узконаправленным и более информативным. Мы по-прежнему будем рассказывать о моде, показывать ее, но копнем глубже. — Оскар говорил с воодушевлением. Очевидно, всерьез загорелся идеей. — История моды, ее вклад в массовую культуру, формирование ее стилей под влиянием политической обстановки — мы осветим все это...

— По-моему, этим уже занимаются «Вог», «Эль» и прочие гиганты.

— Значит, будем с ними конкурировать.

Васко не стал напоминать Оскару о том, что его мать как раз этого и избегала — конкуренции с гигантами (она не ввязывалась в заведомо проигранные войны), он не хотел с ним ругаться. Элена сама мальчику мозги прочистит. И Оскар побежит за утешением к Васко. К кому же еще? В Москве он так и не обзавелся семьей и друзьями. Сначала у него была только мама и приятели, теперь мама и приятели, а еще Васко...

— Как думаешь, Элена догадывается... что мы с тобой...? — спросил он у Оскара.

— Нет, — уверенно ответил он.

— Но она так проницательна и чувствительна, когда дело касается тебя.

— Она не знает о нас. Это точно!

— Может, скажем?

— Давай пока оставим как есть.

— Опасаешься реакции?

— Не хочу ее расстраивать. Я, естественно, давно понял, что мамина болезнь — фикция. Но она уже не девочка, и стрессы сказываются на ее здоровье. А сейчас у нее и так не лучший период. С мужчинами что-то не ладится, Алиса не хочет контракт с агентством продлевать, плюс Коко убили...

— Да, ты прав. Подождем еще.

Васко уже совсем отогрелся. Но пора было выходить на мороз — они подъехали.

— Домой сейчас? — полюбопытствовал Васко. — Или в свой любимый ресторан есть морских гребешков-фламбе?

— Нет, в офис поеду. Хочу поработать над развитием своих идей. Завтра утром позвоню тебе.

— Хорошо.

— Пока.

Васко постучал пальцем по своей щеке. Оскар усмехнулся и чмокнул его.

— Вот теперь пока, — бросил Васко и выбрался из машины.

Студия находилась на задворках бывшего Дома быта. Когда-то тут чистили ковры, перешивали одежду, делали стрижки и маникюр жители советской столицы. В середине девяностых здание было выставлено на торги, и его приобрел какой-то бандит. Он собирался открыть ночной клуб, но попал под шальную пулю, не успев даже начать ремонт. Дом быта стоял заколоченным, ветшал, пока вдова хозяина, три года оплакивающая благоверного на Канарах, не надумала распродать его по частям. Оформлялись сделки как бессрочные договоры аренды, поэтому цены на квадратные метры не кусались. Но даже такие, не кусачие, Васко не порадовали. И хватило его денег только на то, чтобы выкупить подсобное полуподвальное помещение. Потом оказалось, что это плюс, а не минус, потому что у него был отдельный вход. Только у него! Остальные через главный в свои офисы попадали.

Васко сунул руку в карман и достал ключи: один от двери, второй от сейфа. Первое время он ставил студию на сигнализацию, потом перестал. Работа порой появлялась неожиданно и в любое время суток, и он постоянно забывал позвонить, предупредить, чтобы отключили тревожный сигнал. Устав выслушивать от милиции-полиции упреки, Васко отказался от охраны, а особо ценные вещи стал убирать в сейф. Он был огромный, советский, напоминающий несгораемый шкаф — наследие Дома быта. Когда-то сейф стоял в кабинете директора. И в нем хранилась выручка.

Поигрывая ключами, Васко дошел до ступеней, ведущих к двери. По ним надлежало спускаться, так как студия располагалась в полуподвале. Ничего сложного или опасного. Три крепкие бетонные ступени. Никто на них не падал. В том числе Васко. Но сегодня кто-то, по всей видимости, пролил на них воду, и она заледенела. Подошва ботинка поехала. Васко попытался удержаться на ногах, схватившись за поручень, но, когда переместил вторую ногу на нижнюю ступеньку, опять поскользнулся и все же свалился, больно стукнувшись копчиком. Упав, он нечаянно с силой пнул дверь...

И она распахнулась!

Первое, о чем подумал Васко, это о ворах. Потом увидел, что компьютер и ноутбук на месте. Значит, их не грабили. Выходит, Леша явился в студию, хотя два часа назад, когда звонил, сказал Васко, что работу закончил и намеревается отправиться домой, чтобы собраться на ночной питерский поезд, и в ближайшие два дня просил его не беспокоить — он будет наслаждаться прелестями Северной столицы.

— Неужто забыл запереть? — ворчал Васко, поднимаясь на ноги. — Такой молодой, а уже склеротик...

Хромая, Васко зашел в офис. Включил свет, разделся. Так он и знал, полупальто грязное. Хорошо, не порвалось. А то выбрасывать бы пришлось, а оно очень ему нравилось: и качество хорошее, и фасон стройнит. Швырнув полупальто на диван, он зашел в туалет, помыл руки. Пока вытирал их, перегорела лампочка. Васко потянулся к ней, чтобы выкрутить, но замер...

Теперь, когда в туалете было темно, стало ясно, что в студии горят софиты — туда вело небольшое окно под потолком.

Леша забыл и это? Но он знает, как дорого электричество, и всегда проверяет, выключены ли осветительные приборы.

Васко вышел из туалета и направился к студии. Проходя мимо стола, заметил, что на нем бардак. Леша не прибрался перед уходом. Такое ощущение, что сразу после разговора с наставником произошло нечто, что заставило его вскочить и понестись куда-то, позабыв обо всем на свете.

Толкнув дверь, Васко вошел в студию.

...Она была освещена столь ярко, что белизна декораций слепила. Съемочная площадка была заставлена геометрическими фигурами из гипса. Обычно они выступали соло, реже дуэтом, но хором никогда. То есть каждая из них, треугольник, квадрат, конус, использовалась в качестве стульев, лавок, пьедесталов, на которые можно усадить, уложить или поставить модель.

Белым был и экран позади декораций. И пол, на котором они стояли. Но фигуры не сливались с фоном благодаря теням. Освещение было выставлено так умело, что они отбрасывались декорациями.

И среди этого футуристического белого леса находился человек...

Женщина.

Смуглая, черноволосая... Обнаженная.

Ее ноги обвивали шар. Руки возлежали на двух цилиндрах. А спина была прислонена к кубу.

Шея горделиво вытянута, подбородок чуть вздернут. Глаза, не мигая, смотрят в вечность.

Васко узнал девушку.

Сью, подруга Алисы, а с недавних пор и Леши.

«Вот как надо было ее снимать, — подумал Васко. — На белом фоне... Среди «снежных» глыб. Обнаженную... Без макияжа и прически. Естественную, как первобытная женщина... Только, будучи живой, Сью вряд ли бы на такое согласилась!»

Картина была так прекрасна, что Васко потянулся к стоящему на штативе фотоаппарату и сделал несколько снимков. И только после этого вызвал полицию.

Часть четвертая

Глава 1

Дэн

Он сидел на подоконнике и мелкими глоточками пил водку из бокала со льдом. Вообще он не пил. Но сейчас ему просто необходимо было расслабиться, хотелось хоть на некоторое время перестать думать о проблемах.

Уже три месяца он не работал. Большой человек, которого он возил и охранял, был совершенно невыносимым человеком. От него рано или поздно сбегали все работники. Дэн продержался на своем месте дольше остальных. А все из-за денег: каким бы ни был босс козлом, но платил он хорошо и исправно. Да еще предоставлял жилье. И машина была в распоряжении водителя-телохранителя в случаях особой надобности. Наверное, Дэн продолжал бы терпеть его выходки и дальше, если бы не Коко. Она сняла ему эту квартиру и сказала: не нравится работа — уходи. То, чем зарабатываешь на жизнь, должно приносить радость.

И он уволился. Причем босс не хотел его отпускать. Сулил прибавку к зарплате. Но Дэн все равно ушел. Потому что... то, чем зарабатываешь на жизнь, должно приносить радость. Оставалось только выяснить, что именно.

Дэн спрыгнул с подоконника и отправился в кухню. Ему захотелось есть. Он знал, что холодильник пуст, но надеялся найти на полках подвесных шкафов что-нибудь быстрорастворимое: лапшу или картошку. Он следил за питанием. Старался употреблять правильную еду и грамотно ее сочетать. Но нет-нет да возникало у Дэна желание «отравиться» фастфудом.

«Сейчас бы гамбургер, — мечтательно подумал он, шаря по полкам, но находя только крупы, сахар да совершенно сейчас ненужные специи. — И большой пакет картошки фри с сырным соусом. А еще коктейль молочный. Нет, лучше два: шоколадный и клубничный...»

Так ничего и не найдя, Дэн в сердцах хлопнул дверкой ящика. Голод все усиливался. Но в доме даже хлеба не было. И что делать? Варить рисовую кашу или заказывать еду с доставкой? На то и другое уйдет время...

А жрать хочется сейчас!

В дверь позвонили.

«Пусть это будет доставщик пиццы, перепутавший адрес! — воззвал к богу Дэн. — А по фиг, я согласен даже на суши. Их в Москве на дом заказывают чаще...»

С этими мыслями он направился к двери и, не глянув в глазок, открыл ее.

— Здрасьте, — поприветствовал его визитер.

Дэн только кивнул.

— Удостоверение показывать?

— Не нужно, майор Сергеев. Михаил...? Отчество забыл.

— Можно без него, — отмахнулся опер и, чуть надавив на дверь, чтобы расширить проход, ввалился в квартиру. — Мне нужно с вами поговорить. Где мы можем это сделать?

— Так, может, прямо тут? Как в прошлый раз? Если хотите, садитесь. — Он указал на пуфик, стоящий под вешалкой.

— Вы не один?

— Почему?

— Раз не хотите впускать меня в квартиру...

— Нет, нет, что вы! Хотите, проходите. В кухню, например?

— Туда можно? — Он указал на дверь гостиной.

— Ради бога...

Проходя мимо Дэна, Сергеев принюхался.

— Слушай, дай выпить, а? Ну ты же пил, я чувствую. А мне бы пара глотков не повредила. Устал как собака, сутки не спал. А до этого — часов пять. И если тело и мозг не отказывают, то нервы — уже...

Дэн предложил:

— Водку будешь? Мне бывший босс подарил какую-то дорогую, но я сам не пью ее...

— Давай.

— Сейчас принесу. Только у меня закуски нет.

— Дай хоть корочку хлеба... Чтоб занюхать.

Дэн, оставив Сергеева в комнате, принялся, как говорила Нина, шуршать на кухне. Он вдруг вспомнил, что в нижнем ящике (а он проверял только верхние) есть несколько банок тушенки и консервов. Еще с осени стоят. Он тогда собирался на охоту с Митяем, Дэн накупил провианта, не надеясь на дичь, но босс не дал выходных, и поездка сорвалась.

Вспоров банку шпрот, Дэн отправил в рот первую рыбину. Вкусно! Вот только ржаного хлебушка не хватает. Его бы в масло макнуть... Эх...

— Коко была твоей любовницей? — услышал он голос Сергеева за своей спиной.

— Нет, — ответил Дэн, не оборачиваясь. — Рис с тушенкой будешь?

— Буду. — Он зашел в кухню и сел за стол. — Тогда почему она завещала квартиру тебе?

— Она завещала мне квартиру? — Дэн включил газ и поставил на него кастрюлю с водой.

— Да, сейчас повторный обыск в квартире провели. Нашли документ.

Дэн молча открывал тушенку, доставал рис, искал ложку, чтобы зачерпнуть соль.

— Удивлен? — спросил Сергеев.

— Очень.

— Рад?

— Конечно. — Дэн поставил на стол бутылку водки. На вид она была ничем не примечательной, вот только стоила, как литр шотландского скотча.

— Тогда где радостные вопли?

— Я пока не осознал...

— Если вы не были любовниками, почему ты наследник?

— Мы дружили. — Он налил водку в стакан. Подвинул его Сергееву. Тот мигом его опорожнил.

— Как? — спросил Дэн.

— Супер. — Сергеев встал, подошел к чайнику и попил воды прямо из него. — А знаешь, мне известен случай, когда одинокий пенсионер завещал свою квартиру подруге. — Он тоже начал играть зажигалкой, как и Дэн. — Вот только они были вместе с четырех лет. И на протяжении всей жизни поддерживали друг друга. Но чтоб после четырех месяцев... Вы ведь столько знакомы?

— Примерно.

— Так вот, чтоб после четырех месяцев дружбы кто-то свою жилплощадь отписывал, такого не знаю.

— Коко же не думала, что умрет так скоро. Она была полна жизни. И на тот свет не собиралась. Прониклась ко мне — составила завещание. Если бы я ее разочаровал, другое бы написала.

— Складно говоришь. Жаль, врешь. Вы как минимум полгода уже знакомы.

— Чуток ошибся...

— И познакомились вы до того, как ты сюда въехал.

— Да ну?

— Ну да. Есть доказательство.

— Какое?

— Фото ваше общее. А на нем дата — август уже прошлого года.

— Покажи.

— Стервец! — Сергеев погрозил ему пальцем. — Знаешь, что не смогу этого сделать, потому что ты его выкрал. Но Алиса видела это фото. Жаль, не догадалась взять и нам показать. А теперь оно уже... фьють! — Он реально свистнул, чем повеселил Дэна. — Так скажешь — правда или нет?

— Познакомились в Сочи. Много общались. Когда вернулись в Москву, не потеряли связи.

— Бла-бла-бла!

— Ты считаешь меня убийцей?

— Если б считал, с тобой бы по-приятельски не болтал, не сидел в твоей кухне и не ждал рис с тушенкой. У тебя алиби на момент смерти Коко, я лично проверил. Ты ее не убивал. Ты ею манипулировал. И мне интересно, каким образом.

— Открой, пожалуйста, тушенку, — попросил Дэн. А сам стал засыпать в кастрюлю рис. — Тебе налить еще?

— Давай, — согласился Сергеев. — Только я сейчас своим позвоню, скажу, чтоб не ждали.

Он вышел из кухни, а Дэн продолжил заниматься готовкой. Как будто ничего не случилось!

Он сам поражался своему спокойствию. Надо же, как хорошо держится. А ведь уже отпустило...

Вернулся Сергеев. Сел на табурет.

— А ты знаешь, я тебя понимаю, — заговорил он. — Есть в этих женщинах что-то притягательное.

— В каких — этих?

— Пожилых — язык не поворачивается сказать. В зрелых. Мне, например, Элена очень нравится.

— Да, она красавица. Только ты младше ее сына.

— Нет, старше, правда, незначительно, — Михаил выпил водку, что налил ему Дэн. — Ты моделью не подрабатываешь?

— Нет.

— Это ты зря. У тебя бы получилось. Может, фотографией увлекаешься?

— Даже камерой на телефоне не пользуюсь. — Он откинул рис на дуршлаг и стал промывать. — А к чему эти вопросы?

— Сюзанну Волкову знаешь?

Дэн задумался.

— Знакомое что-то... — Он пощелкал пальцами. Всегда так делал, что-нибудь припоминая. — А, да, знаю! Со мной в классе училась. Или она Вилкова была?

— Та Сюзанна, о ком речь, младше тебя.

— Тогда не знаю.

— Она называла себя Сью. Вот ее фото.

Сергеев достал из заплечной сумки снимок, подал его Дэну.

На нем была запечатлена обнаженная брюнетка. Но несмотря на то что на девушке не было одежды и пышная грудь не прикрывалась ничем, хотя бы длинными волосами, снимок этот Дэн не назвал бы горячим. Более того, от него веяло холодком. И дело не в белизне фона и декораций, а в чем-то ином...

— Красивая девушка, — сказал Дэн, вернув фотографию Сергееву. — Модель?

— Да.

— Я ее не знаю.

— Ее убили вчера вечером. Так же, как и Коко.

— А как убили Коко? Я не в курсе.

— Всадили ей в вену смертельную дозу наркотического средства.

— Вот почему она лежала в гробу с полуулыбкой.

— Недешевый способ убийства, скажу я тебе. На черном рынке вещество, сгубившее твою подругу, стоит дороже кокса. Я узнавал.

— С чем это связано?

— Дает чистый кайф. Без шуг.

— Без чего? — не понял Дэн.

— Нет панических атак, негативных галлюцинаций, тяжелого отходняка. Даже в случае передозировки нет судорог, спазмов мышц. Ты понимаешь, к чему я веду?

— Нет. — Он на самом деле не понимал. Да и слушал не очень внимательно. Думал о том, как лучше приготовить рис с тушенкой: пожарить или просто в кастрюле все перемешать.

— Убийце (если это один человек) нужно было, чтоб его жертвы оставались красивыми и после смерти.

— Зачем?

— Чтобы сделать удачный кадр! — Михаил выложил фотографию Сью на стол и хлопнул по нему. — Этот снимок посмертный!

Мысли о рисе тут же улетучились. Дэн обернулся и посмотрел на изображение мертвой девушки. Теперь он понял, от чего шел холодок — от глаз.

— То есть Коко тоже после смерти запечатлели?

Михаил молча достал из сумки еще одну фотографию. На ней Дэн увидел Коко, сидящую в кресле. Безмятежное лицо, полуулыбка, широко распахнутые глаза, смотрящие в никуда...

Дэн поежился.

— Да, жутковато, — кивнул головой Сергеев.

— Что же получается? Этих женщин убил маньяк?

— Почему же сразу...? — он досадливо поморщился. — Вот любит обыватель маньяков. Спасибо за это кинематографу!

— Но нормальный человек не будет умертвлять другого ради красивого кадра.

— Кадр — это не цель. По крайней мере, я так думаю.

— А что же?

— Баловство. Или отвлекающий маневр. Еще можно допустить, что убивает один, а фотографирует другой. Один хладнокровный продуманный ликвидатор, второй чокнутый художник, которому первый дает порезвиться, а заодно задекорировать свое преступление под стиль маньяка.

— Это тебе сейчас пришло в голову?

— То есть до такого можно додуматься только подшофе? — усмехнулся Сергеев. — Нет, я допустил эту версию вчера. Поразмыслил над ней утром, а сейчас решил озвучить ее.

— Хочешь мое мнение?

— Валяй.

— Кинематограф оказал дурное влияние и на тебя. Подобный тандем показан во многих фильмах. Но в реальной жизни он не образовался бы.

— Ой, да много ты знаешь! Не так давно дело закрыли. Так там мать с сыном на пару людей убивали и грабили. Вернее, убивала она, а грабил он. Тетка имела две ходки. Бой-баба. С юности оторва. А сын, не поверишь, непьющий, некурящий, образованный. В педе учился на преподавателя черчения и рисования. Но в школе работать не смог — дети его «зачушковали». И тогда мамаша (она вышла как раз) решила чаду своему помочь. Когда он рассказал ей о том, что у его бывшего педагога есть коллекция монет, а в ней весьма ценные экземпляры, она предложила его ограбить. Тот согласился не сразу, но матушка смогла его убедить. Это было первое их совместное преступление. За ним последовали другие. Вламывались в квартиры некрупных коллекционеров. Со всеми ними сынок знакомился на специализированном сайте. Всю грязную работу делала женщина. Ее сын кровью рук не пачкал. Даже когда одна из жертв оказала сопротивление и ранила мать, он не помог ей. Ждал, когда она сама справится. Мы их поймали на живца. Вычислили благодаря сайту. Там же закинули удочку. В итоге мать получила пожизненное, сын — пятнадцать лет. На суде он упал в обморок. Не ожидал такого строгого приговора. Думал, раз не тронул пальцем ни одну из жертв, значит, и вины в их смерти на нем нет.

Рассказывая это, Сергеев уминал рис. Дэн поставил перед ним и собой тарелки.

— Ничего вкуснее в жизни не ел, — сказал майор, облизнув вилку. — Спасибо.

— Просто тебе есть хотелось. Когда выпьешь, всегда так...

— Дело не в этом. Просто я люблю и рис, и тушенку. Но почему-то ни разу не ел их в сочетании. Теперь ты мой кумир!

Он встал, сунул фотографии в сумку и, перед тем как уйти, сказал:

— Вызовем для допроса. Готовься.

— Всегда готов! Хотя пионером не был.

— И не обольщайся особо насчет квартиры. Завещание еще будет экспертизе подвергнуто.

И ушел, захлопнув за собой дверь.

Дэн вяло ковырнул рис вилкой, затем отставил тарелку и взял в руки телефон. Набрав нужный номер и дождавшись ответа, выпалил:

— Нина, у нас проблемы!

Глава 2
Алиса

Она так надеялась, что Глеб останется с ней. Но он улетел в Германию, как и планировал. Сказал, отложить поездку никак нельзя. И она вроде бы все понимала: на кону контракт в несколько миллионов, процент от которых достанется Глебу, но все равно расстроилась. И немного обиделась, поэтому поговорила с ним сухо, а потом вообще телефон отключила.

Спала Алиса этой ночью плохо и мало. Съемку пришлось из-за этого перенести на более позднее время, а вечернюю вообще отменить. В пять вечера, нервная и уставшая так, будто она не украшения демонстрировала, а асфальт укладывала, Алиса приехала в агентство. Элена все еще надеялась уговорить ее пролонгировать контракт и постоянно зазывала к себе, чтобы это обсудить.

Когда Алиса зашла в кабинет хозяйки агентства, та сидела за столом и ела орехи кешью.

— Обожаю их, — сказала она, увидев Алису. — Ела бы и ела. Да уж очень калорийные.

— Зато укрепляют иммунитет.

— Этим себя и успокаиваю. — Она подвинула тарелку к Алисе. — Будешь?

— Нет, не хочу. Чайку бы и бутерброд. Не ела ничего весь день.

— Это заметно, ты похудела.

— Это комплимент или...?

— Или. Тебе худеть не надо — лицо вытягивается. — Элена нажала кнопку селектора и попросила секретаршу принести Алисе чай, себе кофе с молоком и что-нибудь поесть. — Спрашивать, как ты, глупо. Понятно, что плохо. Но и не спросить невежливо...

— Мне больно и страшно. Как и тебе, наверное.

— Нет, мне не страшно. Только больно.

— Не боишься стать следующей жертвой? Ты — бывшая модель, как и Коко. Что, если у маньяка в планах сделать именно твой посмертный лук?

— Думаю, нам с тобой ничего не грозит.

— Это почему же?

— Ты — успешна и востребована как модель. Я, уйдя на пенсию, реализовала себя в другом. У нас все получается. Нас ценят. Ты понимаешь, к чему я веду?

— Не очень, если честно.

— Выбор жертв не так примитивен, как ты думаешь. Тот, кого ты назвала маньяком, снимает, в его понимании, неудачниц. Тех, у кого карьера не сложилась.

— Но Коко была самой-самой...

— Вот именно — была. Но о ней быстро все забыли. И он решил напомнить о королеве былых времен. Открыть ее миру заново. Именно поэтому он посадил ее на трон, а голову украсил гребнем, похожим на корону. Со Сью все еще проще. Она снималась не там и не в тех образах. Прозябала на задворках фэшн-империи. А он сделал Сюзанну его... нет, не королевой, принцессой. Поэтому ее трон не так величав. И сделан из геометрических фигур, что соответствует духу времени.

Алиса слушала Элену с большим вниманием, но, когда она закончила, покачала головой:

— Не убедила.

— Почему?

— Это все твои домыслы. Но они меня впечатлили, честное слово. Только почему ты думаешь, что маньяк — это ОН, а не ОНА?

Ответить Элена не успела. Раздался стук, это явилась секретарша с подносом. На нем — две чашки и блюдо с мини-бутербродами. Их не меньше десятка, но все разные: хлеб трех сортов, колбаса и сыр тоже, а еще красная рыба и паштет, и ни одна комбинация не повторяется.

— Вот это у вас фантазия, — похвалила секретаршу Алиса.

— Слышала бы ты, какие она придумывает истории, когда отпрашивается пораньше, — засмеялась Элена. — С такой фантазией в сценаристы.

— Или повара. Смотри, как она бутерброд украсила. — Она ткнула ногтем в цветочек, вырезанный из маслины. — Даже есть жалко.

— Я и училась на кондитера, — сообщила секретарь. — Поэтому вот... — Она хлопнула себя по упитанным бокам. — Теперь работаю в модельном агентстве, чтобы, имея перед глазами таких, как вы, похудеть. Кстати, Элена Александровна, я уже сбросила четыре кило.

— А тебе четырнадцать надо. Иди уже!

Девушка, насупившись, вышла.

— Отличная девочка, — сказала Элена. — Толковая. Одно плохо — в модели хочет. Вот истязает себя, чтоб в сорок четвертый размер влезть. Думает, худой станет, я сразу ее возьму.

— А что, она симпатичная. И целеустремленная, что неплохо.

— Если б из всех симпатичных, худых и целеустремленных получались хорошие модели, я б тебя не уговаривала остаться со мной еще хотя бы на пару лет. Ты подумала над моим предложением?

— Подумала, и мой ответ «нет». Я не буду продлевать контракт.

— Лучших условий тебе не предложит никто.

— Знаю. Но я ухожу не от тебя и не к кому-то, понимаешь?

— Ты уже говорила мне об этом. Но я не верю. Уж прости. Тебе, скорее всего, посулили что-то немыслимое. Но я, как никто, знаю, сколько в нашем бизнесе нечистых на руку людей. Я не только хозяйка нуждающегося в тебе агентства, я еще твой друг. Я тебя предостерегаю...

— Элена, милая, послушай! — перебила ее Алиса. — Я собираюсь уходить из этого бизнеса...

— Ты что, с ума сошла? — вскипела Элена. — Дурной пример Коко покоя не дает? Так той сорок исполнилось, когда ушла, а тебе двадцать шесть!

— Скоро двадцать семь.

— Это, конечно, в корне меняет дело, — с издевкой проговорила та.

— Ты меня не дослушала. Никто не говорит о полном отказе от работы. Я буду иногда сниматься и выходить на подиум. Но в приоритете у меня сейчас семья.

— Опустить тебя с небес на землю? Не будет того, что ты себе придумала. Семью и детей себе могут позволить модели уровня Хайди Клум и Адрианы Лимы. У них ИМЯ и миллионные контракты с торговыми гигантами. Ты же, если выпадешь из обоймы, лишь первое время будешь получать предложения. Год, два, максимум три, пока ты работаешь на тех, с кем заключила контракты сейчас. А после — все! Конец. У нас как в переполненной маршрутке: жопу поднял, место потерял.

— Я все понимаю, Элена. Я не такая дура, какой кажусь.

— Всегда считала тебя неглупым и рассудительным человеком. Поэтому и взываю к твоему разуму. — Она наклонилась и остро посмотрела ей в глаза. — Алиса, у тебя среднее образование и никаких особых талантов. Чем ты займешься, если тебя бросит муж с ребенком? В продавщицы пойдешь?

— Я как раз собираюсь поступать в институт и открывать в себе особые таланты. Последние девять лет я была слишком занята, чтобы заниматься этим.

Элена встала из-за стола и прошла к окну. Уткнувшись лбом в стекло, тяжело вздохнула.

— Ты не изменишь своего решения, да?

— Я приняла его не с бухты-барахты. — Она подошла к Элене, присела на подоконник рядом с ней. — Ты ведь сама поступила так же — оставила карьеру ради семьи. Неужели жалеешь?

— Нет, выбор стоял между жизнью и смертью. Я ведь хотела с собой покончить. Уже и таблетками запаслась. И записку предсмертную написала. А потом вспомнила о маме, которая в тюрьме сидит, и подумала — как она без меня? Пришлось остаться на этом свете. Но сменить город, образ жизни, друзей... — Она развернулась и тоже забралась на подоконник. — Жалею ли я об этом? Нет. Однако я ничего бы не меняла в своей жизни, если б она не стала невыносимой. То есть мой случай кардинально отличается от твоего.

Зазвонил телефон. Элена хотела было подойти к столу и взять трубку, но махнула рукой.

— Накричала на тебя, извини, — сказала она, взяв Алису за руку. — Расстроилась очень.

— Я не обижаюсь.

— У меня трудный период сейчас. Как-то все посыпалось... — Она достала из кармана носовой платок и вытерла им увлажнившиеся уголки глаз. — Я вроде держусь, но из последних сил.

— Ничего, все наладится.

— Или разладится окончательно.

Алиса обняла Элену.

— Это что у тебя? — спросила она, заметив, как в вырезе кофточки сверкнул бриллиант. Алиса повесила кольцо, подаренное Глебом, на цепочку, чтобы носить его, но не демонстрировать всем и каждому. — Вот это камень! Можно взглянуть? — Алиса кивнула, и Элена взяла кольцо в руки. — Я так понимаю, Глеб сделал тебе предложение?

— Вчера.

— И раз кольцо при тебе, ты его приняла. Что ж... Поздравляю. Глеб — достойная партия.

— Не бросит меня одну с ребенком? — улыбнулась Алиса.

— Этого исключать нельзя никогда. Но на кольце не сэкономил, это добрый знак. Значит, не жадный. — Слезы высохли, Элена улыбнулась. — Опять же, будет что продать, если он все же тебя оставит одну с ребенком.

Телефон снова ожил. Элена сползла с подоконника и прошла к столу, чтобы ответить.

Алиса не слушала, с кем и о чем та разговаривала. Она смотрела на колечко. Интересно, оно кажется ей таким красивым еще и потому, что это подарок любимого? Три года назад она позировала одному журналу в бюстгальтере из бриллиантов. Все восторгались им. В том числе Алиса: холодный, колючий, неудобный, но роскошный, завораживающий, ослепительный. Однако сейчас она не променяла бы на него свое колечко.

Элена закончила разговор и вернула телефон на стол. Алиса, глянув на нее, всплеснула руками.

— Что я вижу? Румянец на щеках, загадочная улыбка! Уж не влюбилась ли ты, Элена?

— Не выдумывай, — отмахнулась та.

— Но звонил мужчина, так?

— Да.

— И он тебе нравится.

— Алиса, это полицейский был. Майор Сергеев, что расследует убийства Коко и Сью.

— Тот, что увез тебя с кладбища? Симпатичный. В твоем вкусе. И я напоминаю, если ты вдруг забыла: полицейский — тоже мужчина.

— Он хочет со мной побеседовать, как со свидетелем.

— В который уже раз за последние дни?

— Всего лишь в третий. — Она вынула из сумочки зеркало и начала припудривать лицо.

— Ладно, не буду тебе мешать готовиться к свиданию. Ой, пардон, к беседе с полицейским.

— Иди уже, — рассмеялась Элена.

— И спасибо за чай с бутербродами! — крикнула Алиса уже из-за двери.

На ходу одевшись, она направилась к выходу из здания. Тут вспомнила, что так и не включила телефон, и остановилась, чтобы это сделать. Затормозила Алиса резко, и на нее сзади налетел кто-то, вышедший из соседнего коридора.

— Извините, — услышала она.

— Это вы меня...

Алиса обернулась и увидела знакомое лицо. За ее спиной стоял сосед Коко Данила.

— А вы тут каким судьбами? — спросила у него Алиса.

— К Оскару заходил.

— Вы знакомы?

— После похорон Коко он ко мне подошел, спросил, не хочу ли я поучаствовать в фотосессии для его журнала. Я себя в качестве модели никогда не представлял, но решил согласиться на работу. У меня сейчас с деньгами небольшой напряг.

«Ничего, — подумала Алиса с раздражением. — Найдешь себе другую пожилую любовницу, готовую ради тебя, кобеля, все свои украшения заложить. Долго ли, такому красавцу...»

— Я вам не нравлюсь, да? — донесся до нее голос Дэна.

— Мне нет до вас дела, — бросила Алиса, возобновив движение по коридору.

Данила догнал ее и зашагал рядом.

— Это все потому, что думаете, будто я альфонс?

Она пожала плечами. Хотелось поскорее выйти из здания, поймать такси и поехать домой. Полиция провела утром обыск в ее квартире, осматривала вещи Сью, и теперь там был бардак. Алиса планировала посвятить вечер уборке. За порядком в доме она смотрела сама, не пользуясь услугами приходящей прислуги.

— Мы с Коко в близком родстве.

— Не врите. У нее не осталось родственников. Тем более близких.

— Вы ничего о ней не знаете.

— Ха! Коко всегда была откровенна со мной, и я...

— И вы все равно ничего о ней не знаете, — терпеливо повторил Дэн. — Потому что откровенничала она на строго определенные темы.

— Она мне всю свою жизнь пересказала.

— С какого момента?

— С начала.

— И где она родилась?

— В какой-то деревне, которую сразу после окончания школы покинула.

— О детстве и юности в двух словах. Не кажется это странным?

— Почему в двух? Это я сократила.

— Бросьте. Коко избегала лишних разговоров о своей деревенской жизни.

— Потому что в ней не было ничего интересного.

— Нет, потому что в ней было много постыдного.

Алиса резко остановилась и развернулась к Дэну.

— Или изложи конкретные факты, или заткнись!

— О покойниках либо хорошо, либо никак. Поэтому затыкаюсь.

— Тогда зачем ты начал этот разговор?

— Я просто пытался объяснить вам, почему Коко помогала мне финансово.

— И завещала квартиру?

— Да.

— Если б ты был ее родственником, ты не подкидывал бы фальшивое завещание. — Она ткнула пальцем в его грудь, не заметив, как перешла на «ты». — Просто сделал бы генетическую экспертизу.

— С чего ты решила, что завещание фальшивое и я его подкинул?

— При первом обыске никакого документа не было найдено. Оно появилось в квартире после того, как ты посетил ее.

— Я был у тебя на виду все время, что там находился.

— А когда я ушла, ты вернулся. Потому что при мне не смог подкинуть завещание. Еще и фотографию сочинскую утащил, чтоб твое вранье о дате вашего с Коко знакомства не вскрылось. И вот теперь ответь мне: если б документ был настоящим, разве он хранился бы у тебя? Но даже если это предположить в порядке бреда, то за каким чертом прокрадываться в квартиру покойной, чтоб его подбросить?

— Оно настоящее... Ну, почти. Мы не успели его до конца оформить: на нем не хватало печати, а подписи реальные. Если бы Коко не убили, все было бы по закону.

— А так пришлось его немного обойти?

— Да. Совсем чуть-чуть.

— И ты вот сейчас так спокойно мне признаешься в этом? Да ты бесстрашный! Я бы на твоем месте побоялась откровенничать с человеком, которому ты, по твоим же наблюдениям, не нравишься. Он, скорее всего, тебя заложит.

— Ты этого не сделаешь.

— Вот ты не угадал, — фыркнула Алиса. — И я еще раз повторю свою мысль, задав последний вопрос: зачем обходить закон, если ты и без документов сможешь, как ближайший родственник, заполучить квартиру?

— Я отвечу на него, и ты поймешь, почему я бесстрашный. Но мне придется рассказать тебе всю правду о Коко.

— Готова ее выслушать.

— Тогда давай найдем тихое место, где можно спокойно поговорить.

— В соседнем здании уютная кофейня. Мы могли бы зайти туда.

— Хорошо, пойдем.

И первым двинулся к двери.

Глава 3

Васко

Он уже три часа не вставал из-за компьютера и чувствовал, как его глаза устают. Васко не привык подолгу за ним сидеть. Обычно фотографии обрабатывал Леша, но с сегодняшнего дня он на Васко не работал.

В Питер ученик уехать не успел. Полицейские буквально сняли его с подножки поезда и увезли в отделение для допроса. Держали там до утра, но потом отпустили. Оттуда Леша сразу примчался в студию. И застал там Васко, заехавшего за фотоаппаратом.

Он как раз доставал его из сейфа, когда в дверь заколотили.

— Мы закрыты! — крикнул Васко, сунув фотоаппарат и запасной объектив в сумку. Очень кстати наклюнулась небольшая работенка: жена олигарха хотела, чтоб ее пофотографировали в «скромной» домашней обстановке.

— Васко, это я, открой! — раздался вопль из-за двери. Он узнал голос Леши.

— Сам не можешь, что ли?

— Я ключ потерял.

Васко открыл. Ученик ввалился в помещение. Вид дикий: лицо красное, коса растрепалась, глаза лихорадочно сверкают. Куртка нараспашку, и это в мороз, ботинки не застегнуты. Оттолкнув Васко, парень бросился к двери в студию. Распахнул ее и...

Отшатнулся.

Гипсовые фигуры так и стояли на тех местах, куда их поставил тот, кто убил Сью.

А ее место занял манекен.

— Что это?

— Полицейские воссоздавали картину преступления.

— Они показывали мне фото... Это страшно.

— И красиво.

Леша резко обернулся и встревоженно посмотрел на Васко. Тот, встретив его взгляд, проговорил:

— Лучшая фотосессия Сью.

— К чему ты клонишь?

Васко пожал плечами.

— Ты тоже думаешь, что я это сделал? — воскликнул Леша. — Хотя постой... Именно ты так думаешь. С твоей подачи меня записали в подозреваемые номер один! И не отрицай...

— И не собираюсь. Но раз тебя выпустили, значит, я ошибся.

— Я любил ее! Как я мог?.. — Голос его сорвался. Казалось, Леша сейчас заплачет, но он взял себя в руки и заговорил более-менее спокойно. — Вчера я ушел отсюда сразу после того, как тебе позвонил. Дверь захлопнул, потому что потерял ключи. Поехал домой собираться. Звонил Сью, но она не взяла трубку. Мы с ней поцапались накануне. В Питер вместе собирались, но она в последний момент передумала. Пришлось ее билет возвращать...

— Ладно, закончим на этом. Мне уходить надо.

— Васко, постой!

— Леш, ты что услышать от меня хочешь? Заверение в том, что я верю в твою невиновность? Хорошо, ты меня убедил в ней. Ты не убивал Сью. Но не потому, что любил. Просто ты не настолько талантлив, чтобы придумать вот это! — Он указал на съемочную площадку. — Но наше сотрудничество я прекращаю не по этой причине. Ты потерял ключи от студии и от сейфа, в котором техники на два с лишним миллиона, и не предупредил меня, что нужно поменять замки.

— Надеялся, что найду, — попытался оправдаться Леша.

— Я не доверяю тебе больше. Так что изволь студию покинуть вместе со мной. За вещами придешь в другой раз. Кстати, я поменял замки и снова поставил помещение на сигнализацию.

— Я думал, мы друзья... А ты меня вот так... В такой сложный момент.

— Мне очень жаль.

— И ведь не понимаешь, дурак ты старый, что пропадешь без меня. Ты же динозавр. Древнее ископаемое. Ты вышел из моды вместе с брюками клеш в семидесятых, только в отличие от них в нее ты снова не войдешь. Это не я у тебя, а ты у меня должен был учиться. Но теперь это уже не важно... — Он рывком застегнул молнию на куртке, натянул на голову капюшон. — Давно хотел от тебя уйти, да жалел. Но теперь... бывай!

...Вот такой у них разговор состоялся утром. Днем он забылся, так как Васко был занят съемкой, но сейчас всплыл в памяти. Как Леша его, а? Динозавром! Неужто правда думает, что его стиль безнадежно устарел? Или просто задеть хотел? Ведь всегда говорил, что Васко работает в классической манере, которая никогда не выйдет из моды.

Он отогнал дурные мысли и сосредоточился на фотографии, выведенной на монитор. Она получилась недостаточно фактурной и нуждается в редактировании. Заказчица оказалась капризной маленькой дрянью. Ей все было не так и не эдак. Ни один из снимков ее не удовлетворил до конца. «Хочу, чтоб как в компьютерной игре все было, — надувала губы она, осматривая на экране фотоаппарата готовые кадры. — Фактурно, понимаешь?» Васко важно кивал. Хотя сам ни черта не понимал. Куда ему, ископаемому? В итоге пообещал клиентке довести снимки до совершенства при помощи компьютерной графики. И вот сейчас мучился, делая это.

— Все, перерыв! — сказал себе Васко и встал из-за стола. Задница после вчерашнего падения болела, а теперь еще и ноги затекли от долгого сидения.

Он попытался поприседать, чтобы размяться, но голова закружилась. Васко отвык от физических нагрузок. В двадцать лет профессиональным спортсменом был. В тридцать ради удовольствия в футбол играл. В сорок делал гимнастику по утрам. В пятьдесят попал в аварию, сломал два ребра и ногу. Провалялся в больнице полтора месяца. Там разленился. И когда выписался, к спорту не вернулся. Сначала оправдывал себя тем, что кости еще недостаточно хорошо срослись, и, нагружая себя, можно сделать только хуже. Потом мешала боль, появляющаяся при занятиях. А когда и она перестала беспокоить, Васко убедил себя в том, что ему идет легкая полнота. С округлившимся лицом он стал выглядеть моложе.

Васко походил немного по офису. Как он сам говорил, растрясся. Затем в туалет заглянул. Пятиминутная передышка не помогла. В глазах по-прежнему будто песок, тело ноет, и к работе возвращаться категорически не хочется. Леша давно бы уже все фотки обработал, а ему, неумехе, колдовать над ними еще часа полтора. И то не факт, что получится фактурно.

— Погорячился я, — вздохнул Васко тяжко. — А теперь уже ничего не поделаешь. Не звонить же с извинениями. Только докажу пацану, что старый дурак... Динозавр. Ископаемое. И ни черта без него у меня не выходит...

Васко решительно шагнул к стулу и резко опустился на него. Хватит ныть, работать надо! Иначе не видать его машине новых колес и следующей зимой. А то и машины самой не видать — продать придется.

Только он настроился и выделил зону, которую нужно затемнить, как в дверь заколотили.

Леша вернулся?

— Кто? — крикнул Васко. Хотя не сомневался, что услышит голос ученика. Одумался парень. Сам пришел.

— Откройте, пожалуйста...

Нет, это был не Леша. Кто-то незнакомый. Женского пола.

— Мы не работаем.

— Я вас долго не задержу.

— Хотите на фотосессию записаться?

— Нет. Я уже у вас снималась... Да откройте же вы! — И так по двери долбанула, что чуть замок не вывалился.

Васко тут же отворил.

— Узнаете? — сурово молвила женщина, сдвинув брови.

— Вас разве забудешь, — хмыкнул Васко. Явилась та самая чудачка, которую он прозвал меховым стогом. Она была в той же шубе, но шапку сменила. На сей раз ее голову «украшал» вязаный шлем, но с песцовыми помпонами на макушке и ушках. — Чудесная шапка. И вы, как всегда, просто очаровательны.

Мадам сменила гнев на милость. Игриво шлепнув Васко по руке (ее кожаные перчатки так же украшали меховые шарики, но только крохотные), она вошла. С любопытством глянув на монитор, спросила:

— Кто это?

— Клиентка, как и вы.

— Это понятно. Не актриса?

— Нет.

— А кто?

— Жена очень богатого человека.

— Никакого вкуса у этого человека, — поджала намалеванные губы женщина. — Я чего пришла. Вы мне не то отдали.

— Как — не то? Алексей сказал мне, что вы получили фотографии, и они вам понравились.

— Да. Сегодня уже три отправила в деревню. А для одной рамку заказала. Я на ней такая конфетка.

— Тогда в чем претензия?

— Леша флешки перепутал. Я свою принесла, чтоб он мне скинул на нее фотографии. Но он мне не мою отдал. Я не посмотрела, когда забирала, дома только обнаружила. — Она открыла сумочку и достала из нее флешку. — Вот вам ваша. Вы мне мою верните.

— Какая она у вас?

— На эту похожа, но с колечком. И не на тридцать два гига, а на три.

— Эта? — спросил Васко, открыв верхний ящик стола. Карты памяти убирались именно в него.

— Эта, — подтвердила женщина.

— Проверить, не пустая ли?

— Не отвлекайтесь, работайте. Если что, еще раз приду... — И глазками даже не стрельнула — бабахнула. — Я тут недалеко живу. Чао!

И удалилась, шурша шубой. Васко знал, что эти звуки издает плохо выделанный мех.

«Сколько ей лет? — прикидывал он, запираясь. — Сорок семь, пятьдесят? Нет, лицо гладкое. Морщин почти нет. Сорок? Да, пожалуй. А возраст ей прибавляет имидж. Любой мой ровесник порадовался бы тому, что с ним заигрывает женщина, годящаяся в дочки. А у меня настроение еще хуже стало. Потому что внимание таких вот бабцов мне не льстит. Оно меня удручает...»

В этом была беда Васко. Он представлял рядом с собой только шикарную женщину. Задрал когда-то планку на недосягаемую высоту — полюбил Коко — и теперь мучился. Кому-то, тому же олигарху, жена которого сейчас улыбалась с экрана компьютера, достаточно красоты и молодости. Он кайфует оттого, что с ним юная прелестница. И плевать ему на то, что у нее сомнительный вкус, дурные манеры, а самым употребляемым словом в ее лексиконе является «блин». Васко с такой бы не смог жить. Переспать — да. Потому что шикарные женщины стали для его с некоторых пор недоступными. Ни одной из них не нужен пожилой, с трудом сводящий концы с концами НЕМОДНЫЙ фотограф. Так что остаются либо беспутные молоденькие шалавы, типа Мариэллы, либо зрелые, битые жизнью матроны. С первыми можно весело оттягиваться, со вторыми жить — горячий борщ, чистые рубашки, понимание и страстный секс гарантированы...

Васко передернулся. Нет, последний вариант его совершенно точно не привлекает.

Вернулся к работе. С горем пополам отредактировал кадр, над которым бился весь последний час. Лешка бы за это время все кадры отфотошопил. И конечно, не потому, что он талантливее Васко. Просто рука у него набита. К тому же парень постоянно скачивает какие-то обновления, чтоб программа летала. Последнее он назвал «бомбой», сказал, что даже «чайник» с мыльницей, освоив его, сможет создавать шедевральные фотки.

И тут Васко осенило. Он вспомнил, что Леша запускал приложения с флешки. Да легко так, в два, максимум четыре клика. И если сейчас он, Васко, попробует сделать то же, возможно, дело пойдет быстрее. А то так надоело торчать в офисе! Хотелось засесть в каком-нибудь ресторанчике, съесть горячий ужин, желательно жидкий. Например, навернуть ушицы и выпить под нее стопочку ледяной водочки. Но пока дело не доведено до конца, об этом не может и речи идти. Маленькая дрянь желала видеть результат уже завтра.

Он вставил флешку в разъем. Когда ее содержимое отобразилось на мониторе, кивнул. Да, вот и программа. А еще папка с фотографиями. Пока запускалась первая, Васко решил посмотреть вторую...

Кто там у нас?

Он щелкнул по значку. Папка открылась. В ней штук десять фотографий. Васко кликнул по первой из них...

Комната в викторианском стиле. Стул, похожий на трон. На нем царственная женщина с гребнем в волосах.

Королева Виктория. И ее посмертный лук.

Васко уже видел эти кадры.

Он собрался уже закрыть папку, тем более программа запустилась и была готова к работе, как заметил то, на что не обратил внимания сначала...

На шее и запястьях Коко были видны «браслеты» и «ошейник». Те крепления, благодаря которым конечности и голова покойницы оставались в нужном положении. На тех снимках, что Васко видел до этого, они были убраны при помощи фотошопа.

Он перелистнул страницу, чтобы посмотреть следующий кадр... То же самое! И лицо далеко не безупречное. Видно, как провисла кожа под подбородком. А на шее, там, где ее перерезал металл, собралась складками. Да и рот застывший, чуть съехавший набок. Эту модель он не принял бы за живую. Одного внимательного взгляда было достаточно, чтобы понять — снимали мертвеца.

Васко просмотрел все снимки. От первого до последнего. Убедился в том, что на каждом изображена покойница без прикрас, выключил компьютер и набрал номер старшего следователя Верника.

Глава 4

Дэн

Не сразу, но он все же почувствовал, что Нина вспомнила о нем, сыне, не ПРОСТО ТАК.

Он-то поначалу думал, ее замучили одиночество и совесть. Возможно, еще любопытство: каким вырос ее мальчик? А оказалось, мать совсем не мучилась. Да, когда разладились ее последние отношения, ей стало неуютно. Да, иногда она вспоминала о Даниле, и ей становилось не по себе. Но не более того. Нина знала, что никогда не останется без мужчины и найдет себе кого-нибудь непременно, а чадо ее уже взрослое, и теперь уже не имеет особого значения, правильно ли она с ним поступила. Все равно ничего не исправишь!

Когда Дэн узнал Нину лучше, он понял главное: сын ей не нужен. Как близкий человек, поддержка и опора. Как кровь от крови, плоть от плоти. Как продолжение себя. Материнский инстинкт не проснулся в Нине даже с возрастом.

Сына она нашла потому, что ей было от него что-то нужно.

Деньги?

Костный мозг?

Жертва, на которую не пойдет посторонний?

Дэн перебрал все варианты. И отмел их.

Денег Нина не просила, только таскала сына по ресторанам, к слову, не самым дорогим, и позволяла платить по счету.

На медосмотре не настаивала. Да и на здоровье особо не жаловалась — язва открылась у нее позже.

А в тюрьму за нее он не сел бы. Даже если б Нина в ноги упала. Ему и такое в голову приходило. Вот только никаких неприятностей с законом, а как вариант — с бандитами, у нее не было.

Устав ломать голову, Дэн решил просто ждать, когда Нина раскроет свои планы на него.

Ждать пришлось недолго.

...Они сидели на лавке в небольшом сквере и ели мороженое. Дэн белое с орехами, так как в нем не было красителей и усилителей вкуса, а мама клубничное с карамелью в шоколадной глазури, да еще и обсыпанное поверх разноцветным воздушным рисом. Она не любила себе в чем-то отказывать.

— Что мы тут делаем? — спросил Дэн, слизнув со стаканчика подтаявшее мороженое.

— Сидим, едим.

— Это понятно. Но почему мы именно тут... сидим, едим?

— Чем тебе не нравится это место?

— Позади проезжая часть. Тут воняет выхлопными газами. К тому же лавка стоит в тени, а все нормальные люди в такую погоду вылезают на солнце...

— Смотри, — она ткнула сына в бок.

— Куда?

— Вперед, — процедила Нина. — Видишь женщину? Что вышла из подъезда.

— Да.

— Что скажешь о ней?

— Приятная тетка. В молодости наверняка красавицей была.

— Как думаешь, она богата?

— Одета хорошо. В ушах бриллианты.

— А ты прямо разбираешься?

— Работал в ювелирном салоне охранником, так что да. — Он посмотрел на женщину внимательнее. — Она убирает в сумку ключи, значит, живет в этом доме. Делаем вывод: богата. Квартиры тут очень дороги.

— Вот и я так подумала.

— А что это за женщина? Почему она тебя так заинтересовала?

— Это моя мать.

Дэн едва мороженое не выронил, услышав это. Нина будто не заметила этого и продолжила:

— Впервые я увидела ее три месяца назад. Шла с сумками к метро, стало тяжело и сделала остановку возле этой лавочки. Стою, перевожу дух, и тут — она. Идет, по телефону щебечет. А голос — вот вылитый мой. Ты знаешь, я его не люблю. Считаю грубоватым. Поэтому обращаю внимание на похожий.

— И ты, только потому, что у женщины такой же баритон, как у тебя, решила...?

— Конечно, нет! Я узнала ее. По отцовскому описанию.

Дэн закатил глаза. За что тут же получил — мать стукнула его по ноге кулаком.

— Ты не гримасничай тут мне! Я в своем уме. Все совпадает: возраст, рост, цвет глаз, форма ушей. А еще примета особая у нее есть — шрам на руке. Собака ее в детстве покусала.

— А имя, фамилия?

— Сменила она и имя, и фамилию. Сейчас Викторией зовется. А когда-то Анной была. Но это все равно она. — Она немного помялась. — Искала ее, признаю. Долгое время. Даже отец твой мне в этом помогал. У него связи были. Но они не помогли. Но сейчас сам понимаешь, технологический век. Все проще. В общем, порекомендовали мне человека, который занимается розыском. Вот он-то и отыскал Викторию. Но не давал стопроцентных гарантий, что это моя мать. Однако оказалось, это так. Рост, уши, шрам, голос... Все, что я тебе говорила!

— Даже если так, что с того? Она оставила тебя когда-то, точно как и ты меня...

— Опять начинаешь?

— А почему нет? Ты не устаешь повторять, что хотела счастья не только себе, но и мне, так, может, эта женщина, Анна-Виктория, точно так же думала?!

— О нет! Не так! Она хотела, чтобы я умерла.

— Ты тоже. Иначе не пошла бы на аборт. Но вы обе передумали...

— Я — да. Она — нет. Я тебе главного о ней не сказала в день нашего знакомства: Анна, или Виктория, уже не важно, убила свое новорожденное дитя. Задушила. Но произошло чудо — его спасли.

— Быть такого не может! — возмущенно воскликнула Алиса, услышав это от Дэна. Он подробно описывал ей диалог с матерью.

— Моя реакция была похожей, — кивнул он. — Хотя я не знал Коко. Просто у меня не укладывалось в голове, что кто-то может задушить ребенка и потом жить дальше как ни в чем не бывало...

— Есть такие люди. Но Коко к ним не относилась. Она была хорошим человеком!

— Если ты не будешь меня перебивать, я скорее закончу свое повествование.

— Но я не могу молчать!

— Пожалуйста, выслушай меня спокойно, все обсудим потом.

Алиса хмуро кивнула. Взяв чашку с латте двумя руками, она сделала глоток и буркнула:

— Продолжай.

— Издалека начну. Мой дед, зовут его Вениамин, он до сих пор в полном здравии, с детства был влюблен в девочку Анну. Она жила через дом. А вот она к нему равнодушной оставалась. Хотя все девки деревенские за ним бегали. Красавец, хулиган, сын агронома. Первый парень, в общем. А Аня чудна́я, хоть и симпатичная. Всегда в стороне ото всех держалась. Читала много, рисовала, гербарии собирала, коллажи делала из старых открыток, писала письма известным артистам да все мечтала о другой жизни. Хотела модельером стать или оформителем. К педагогу по изобразительному искусству бегала в село, чтоб хоть каким-то ее азам обучил. Веня, мечтающий с девушкой отношения завести, провожал ее несколько раз или встречал. Но она держалась на расстоянии. Говорила: не до баловства ей. Надо о будущем думать. Однако и не прогоняла Веню. Другом называла. Как будто не видела, что он с ума по ней сходит. А он упрямый был. Решил добиться девушки во что бы то ни стало. Сначала по-хорошему пробовал, а потом решил, что раз не выходит, по-плохому надо. Изнасиловал он ее. Склонил к сексу. Но сразу после акта сказал: ты не думай, я тебя не брошу опозоренной, женюсь. И слово бы сдержал. Потому что замыслил свое нехорошее действо ради этого. Но Аня и после этого с ним быть не пожелала. Не нужен ей был деревенский, пусть и самый-самый. Веня уже отстать думал, как заметил, что с Аней не то что-то творится. Пополнела, но это ладно, в глаза не бросалось, так как она всегда упитанной была. Главное, каждое утро в огород бегает, чтоб желудок опорожнить — тошнит ее. Вениамин в то же время курить выбегал, вот и заметил. Понял он, что забеременела Аня. И опять к ней свататься. Да только девушка отрицала все. И Веня на другой женился. В отместку. Закружил одну девочку быстро да под венец повел.

Он прервался, чтобы попить. Он в отличие от Алисы заказал молочный коктейль. В заведениях подобного рода растворимую бурду не подавали.

— Что было дальше? — нетерпеливо спросила Алиса, дав Дэну сделать всего лишь пару глотков.

— Как-то Веня собрался на охоту. Утро раннее было, едва рассвело. Направился к лесу, да вспомнил, что воды не набрал. А колодец в соседском дворе. Зашел. Хозяева избы переехали, и она стояла брошенной. Веня ведро взял и тут видит — кровь на траве. Пошел по следу. До сарая дошел. Заходит и видит куколку на земле. Маленькую, голенькую. Только на шейке у нее платок в горошек. Аня точно в таком ходила...

— Это был ребенок, да?

— Девочка. Дед мой подбежал к ней, на руки взял, к груди прижал, заплакал... Понял, что это дочка его. Аня втихаря родила ее да придушила. Только не до конца дело довела. Дед почувствовал сердцебиение. И бросился с ребенком к бабке-повитухе. Она на краю деревни жила. Та кое-как девочку реанимировала. Но сказала — не жилец. Только дед все равно «Скорую» вызвал. Их вместе в больницу забрали — он не желал с дочкой расставаться. Выходили ее. И когда здоровью девочки ничего не угрожало, забрал Вениамин ее домой. Удочерили они ее с женой. Ниной назвали.

— То есть твой дед не сообщил в милицию о том, что знал?

— Нет. И я считаю, правильно сделал.

— Правильно, что детоубийцу покрыл? — возмутилась Алиса.

— Ей бог судья. А вот девочку он от злых сплетен оградил. Она для всех бы осталась той, кого собственная мать душила. Да и сама она как бы с таким грузом жила? — Он сделал еще глоток. —

Дед сказал милиционерам, что в лесу нашел девочку. А рядом еще три деревни. По всем искали мать-убийцу. Не нашли. Аня тогда уже далеко была.

— А жене своей дед твой правду сказал?

— Нет. Знают двое — знают все. Поэтому ото всех скрыл. Она, кстати, ненадолго на этом свете задержалась. Под трактор попала в двадцать два года и умерла.

— Если Веня так истово тайну хранил, как Нина могла узнать ее?

— Когда она беременной из города заявилась в отчий дом, дед напился. В дым. Он у меня вообще непьющий практически. Так, после баньки может стопку-другую пропустить, но чтоб бухать, как все деревенские, такого нет. А тут расстроился — дочка любимая в подоле принесла. Вот и залил горе свое. А он, как выпьет, любит сам с собой говорить.

— Нина подслушала, значит? — Дэн согласно кивнул. — Так, может, его слова — всего лишь пьяный бред?

— Так он платочек-то сохранил. И фотографию Аннину. Она сейчас при мне... — Дэн сунул руку в карман и достал из него бумажник. Открыв его, протянул Алисе. — Узнаешь?

За пленкой были две женские фотографии. Обе очень старые. Алиса обратила внимание на ту, на которой была изображена пухленькая девушка с оттопыренными ушками.

— Это Коко?

— Она.

— Если б не ее, как она сама говорила, лопухи, я бы...

— Все равно ее узнала, — закончил за нее Дэн. — Мысленно сделай ýже лицо и отбрось от него волосы. Вот тебе и королева Виктория.

— А вторая женщина кто? Нина?

— Да.

— Мать с дочерью совсем не похожи, или мне кажется?

— Ты права. Внешне они абсолютно разные. Цвет волос, глаз, строение тела. Нина объемна в правильных местах, и ей идет легкая полнота. А Коко — нет. У нее широкие плечи и талия. Поэтому она не позволяла себе поправляться. Но в обеих женщинах есть неповторимый шарм, манкость. Такие привлекают внимание мужчин. Рождают в них чувственные желания. Тогда как сами хотят лишь одного-единственного и не спят с кем попало.

— Коко была такой, — кивнула головой Алиса. Она выпила свой кофе и заказала еще. Когда ей принесли добавки, они вернулись к прерванному разговору: — Итак, Нина узнала в женщине, которую случайно встретила на улице, свою мать и...? Стала за ней следить, это я поняла. Но зачем? Что она хотела предпринять?

— Я задал ей тот же вопрос. Нина сказала, что для начала хочет узнать ее получше.

— То есть познакомиться?

— Нет. Она категорически не желала этого. Даже в глаза ей смотреть не хотела. Поэтому только издали наблюдала за Коко. Узнать ее близко должен был я.

Когда Нина сообщила об этом сыну, он опешил. Как она себе это представляет? Но у матери, оказалось, уже был план:

— Виктория через неделю едет в Сочи. В санаторий «Солнечный». Я подслушала ее разговор с подругой. У тебя, как ты говорил, наклевывается отпуск. Езжай туда же. На отдыхе легко завязать знакомство.

— Никуда я не поеду, — возмущенно выпалил он.

— Прошу тебя.

— Хочешь узнавать ее — узнавай. Мешать не буду. Но и помогать тоже. Мне вообще эта твоя затея не нравится. Зачем тебе узнавать мать? Хочешь воссоединиться с ней после стольких лет, как и со мной?

— С убийцей? Ни за что!

— Отомстить?

— Понять! И возможно, простить...

— Вот и езжай сама в Сочи. Узнавай, прощай, делай что хочешь. А с меня тебя достаточно. Бабку-душегубку я уже не вынесу.

— Я даже в глаза ей посмотреть не могу, — тихо сказала Нина. — Иначе давно бы уже нашла повод для знакомства. Женщинам легче подружиться. — Она сунула руку в карман. — Вот ты считаешь, что тебе не повезло с матерью. Так и есть — я не лучший родитель. Но мой еще хуже. — Нина рывком вынула руку и разжала кулак. В нем оказался зажатым платок в красный горох. — Меня вот им... Душили! Крохотную, беззащитную... Понимаешь?

Она расплакалась. Дэн обнял ее, успокоил и пообещал сделать то, о чем мать его просит.

— Я познакомился с Коко в Сочи, — сказал он Алисе. — Когда вернулись в Москву, не потерялись, стали созваниваться. Первое время Виктория держалась настороженно. Согласись, это довольно необычно, когда дружат люди разных поколений, а уж если они еще и разнополые — то даже как-то подозрительно. Но когда Коко узнала, что меня в детстве бросила мать, она нашла всему объяснение. Решила, что я ищу ей замену в лице взрослой и мудрой женщины.

— Странно, что Коко не рассказывала мне о тебе.

— Ничего странного. Когда мы только начали приятельствовать, ты была вся в разъездах, и вы не виделись. А потом она скрывала факт нашего знакомства намеренно.

— Почему?

— Потому что узнала, кто я.

...Они тогда сидели у нее дома. Коко впервые пригласила Дэна к себе. Он помог ей привезти из ремонта обогреватель, дотащил его до квартиры, и женщина предложила своему молодому другу чаю. Они пили его и болтали о ерунде. А Дэну хотелось о важном. Коко очень нравилась ему, и в его голове не укладывалось, как такая чудесная женщина могла сотворить, пусть и в юном возрасте, такое зверство, как детоубийство. Он начал расспрашивать ее о прошлом, интересовался ее детством. Но в ответ получал короткие рубленые фразы. Потом она технично ушла от темы, а когда Дэн к ней вернулся, просто стала его выпроваживать. И он бы ушел. Да только задания, данного матерью, он пока не выполнил. Нина хотела, чтоб он подбросил Коко косынку. Ту самую, в красный горошек. И делал это снова и снова. Чтоб Коко мучилась, как героиня романа «Мастер и Маргарита» Фрида. Дэн читал его и помнил, что ей в течение тридцати лет подкладывали платок, которым она удавила младенца.

Нина хотела подвергнуть Коко этой пытке. А Дэн... Он ее жалел.

— Имя Вениамина Власова тебе о чем-то говорит? — спросил Дэн, решив действовать по-своему.

Коко побледнела. Стрела попала в цель. Она знала его деда, Вениамина Власова.

— А Анна Белова? Когда-то эта девочка жила в деревне Большово. Не слышала о такой?

— Уходи немедленно.

— Я родился в деревне Большово. А деда моего зовут Вениамином. Он до сих пор жив.

— Если не покинешь мою квартиру, я вызову полицию.

— Я твой внук, Виктория. А вернее, Анна.

— Убирайся вон, мошенник! — закричала она. — У меня нет детей, а значит, и внуков быть не может!

И вот тут он достал платок.

Глянув на него, Коко упала в обморок.

Она грохнулась бы на пол, если б не Дэн. Он среагировал вовремя, подхватил ее и опустил на диван.

Без чувств Коко пролежала недолго. Глаза открыла через несколько секунд, но увидела платок, которым Дэн ее обмахивал, уже без всякого умысла, и опять стала их закатывать. Сунув платок за пазуху, он спросил:

— Принести воды?

— Просто уйди, — прошептала она.

— Она выжила, Коко... Я буду называть тебя так, хорошо?

— Кто?

— Твоя дочь.

— Не может быть. Я несколько раз проверила — она не дышала.

— Дыхание было очень слабым. И сердце едва билось. Если бы девочку вовремя не нашли и не оказали ей помощь, она скончалась бы.

Говоря это, он смотрел на Коко. Хотел понять по лицу, что она чувствует. Но он оказался плохим физиономистом. Кроме недоумения, взгляд Коко ничего не отражал...

Ни радости. Ни печали. Ни страха.

— Нет, это не она! — решительно проговорила Коко. — Я пыталась ее реанимировать. Делала искусственное дыхание. Пальцем на грудную клетку надавливала. Все впустую. Дочь родилась мертвой. Что неудивительно. Я не береглась совсем. Потому что скрывала свою беременность. Недоносила из-за этого. А рожала вообще в кошмарных условиях...

— Почему не в больнице?

— Все так быстро произошло. Я почувствовала схватки ранним утром, когда за водой пошла к соседскому колодцу. Воды отошли. И кровь начала капать. Я добежала до избы и... — Она не могла продолжать. И Дэн принес ей холодного чая. Попив, Коко продолжила: — Когда я поняла, что ребенок мертв, вернулась к себе, собрала вещи и дала деру. Потом, когда смогла соображать, допетрила, как у нас в Большово говорили, какую глупость совершила. Девочку нужно было похоронить, чтоб не нашли ее трупика. О моей беременности никто не догадывался, но ведь просто так люди из дома не сбегают.

— Мой дед догадывался.

— Это он нашел младенца?

— Нашел и спас. Но не только ее. Тебя тоже. Если бы он рассказал все, о чем знал, тебя бы нашли и привлекли к суду.

— Я бы сказала Вениамину спасибо, если б не одно обстоятельство — именно он во всем виноват. Он изнасиловал меня, невинную. Он сделал мне, семнадцатилетней, ребенка. Он сломал мне жизнь. Да что там... Он чуть не отнял ее у меня — ведь я могла умереть от кровопотери.

— Я не судья вам. Ни тебе, ни ему. Но вот что я скажу тебе: он грех свой искупил, воспитав дочку. А ты свой?

— Мне каяться не в чем, — жестко проговорила Коко. — Я не бросила бы девочку, если б не была уверена в том, что она мертва. Повторяю: я пыталась ее спасти.

— Значит, плохо пыталась. Мертвая, она создавала тебе меньше проблем, чем живая. И кстати, дед мой считает, что ты хотела от нее избавиться. И этим... — Он выдернул косынку из-за пазухи. — Этим душила девочку!

Он ожидал какой угодно реакции, но не той, что последовала. Коко размахнулась и с силой заехала Дэну по лицу.

— Не смей такое говорить! Называй как угодно, но только не детоубийцей!

Она выхватила платок и швырнула его в окно.

— Я хотела завернуть в него девочку. Больше не во что было.

Коко вернулась к дивану, медленно на него опустилась.

— Как ее зовут?

— Нина.

— Красивое имя. Мне всегда оно нравилось. Так маму звали. Она умерла, когда мне двенадцать было. А отец еще раньше. Я у тетки воспитывалась. А у нее своих трое. Да муж пьяница. Я мешала им. Ладно бы хозяйственной была, а то бесполезная. Мои коллажи да гербарии всех раздражали. Не могла я там остаться. Ни в доме у тетки, ни вообще в деревне. Не мой это был мир... — И без перехода: — Как ты понял, что я — это я?

— Узнал... — И показал ей старую фотографию. Всю правду он пока решил не открывать ей и умолчать о том, что это не он понял, что она — это она, а Нина.

— Боже! Что это за пончик! — Коко засмеялась. — Я была такой толстой? Ужас. А прическа! Как можно меня узнать по этой фотографии?

— Еще по этому. — Он указал на шрам в форме английской буквы «W». — И по голосу. У твоей дочери точно такой же.

— Так она не бросала тебя в детстве?

— Еще как бросала. Но ее голос я запомнил. Она пела мне на ночь «Спи, моя радость, усни»... — Он осторожно взял ладонь Коко и положил себе на колено. — Ты хотела бы с ней познакомиться?

— Даже не знаю... Сейчас я в полном смятении. Надо в себе разобраться. Я даже не поняла пока, рада ли я тому, что моя дочь выжила. Что я мама и... Бабушка, черт возьми! — Она снова заплакала. — Нет, последнему рада. Ты такой славный, Данечка... — И порывисто поцеловала его в щеку. Дэн почему-то засмущался.

...Вспомнив о том поцелуе, он улыбнулся. Алиса стукнула его ложкой по руке, привлекая к себе внимание. Оказалось, он давно уже молчит, а она сверлит его взглядом.

— Я спросила, что решила Коко? Пожелала с дочкой познакомиться?

— Да. Когда мы с ней встретились в следующий раз, она выразила это свое желание весьма бурно. Чуть не припрыгивала от возбуждения, так ей хотелось обнять свою дочурку. Не знала она, что та настроена по отношению к ней иначе.

— Ты передал Нине слова Виктории? Убедил ее в том, что она не душила дочку?

— Наш разговор я оставил в тайне. Но начал заводить беседы о том, что Веня мог ошибаться в главном. Не хотела Аня убивать ребенка. Наоборот, пыталась спасти. В общем, я с точностью воспроизвел слова Коко, только выдал их за свои предположения. И потом спросил, поверила бы она матери, услышь подобное от нее?

— Она ответила «нет»?

— Нет, более развернуто. Но смысл такой, да. Она заявила, что она в этом может убедить меня, деда, даже себя... но только не ее!

Тогда-то Дэн понял главное: Нина желала узнать мать не для того, чтобы попытаться понять... и простить.

Она не собирается делать ни того, ни другого! Потому что ненавидит.

А это значит...

— Она желала смерти Коко! — воскликнула Алиса.

— Нет, страданий, — возразил Дэн. — Вспомни о платке. И я понял, к чему ты клонишь. Думаешь, она могла убить Коко!

— А разве нет?

— До того как та оформит завещание? Категорически нет. Нина — продуманный человек, хоть и эмоциональный.

— Да, пожалуй.

— Теперь ты понимаешь, почему мы подкинули его?

— Не совсем.

— Если я начну предъявлять права на квартиру как внук, то первое, такое количество грязи всплывет, что забрызгает многих, включая деда, меня, мать, саму покойницу. А второе, узнав о том, что Виктория, она же Аня, в столицах разбогатела, ее тетка, все еще живая, да племянники свои ручонки к ее наследству протянут.

— Но ничего не получат.

— А крови попортят.

— Огласки можно избежать. Нанять хорошего адвоката и проделать все так, что комар носа не подточит.

— Нет у нас на него денег. Те, что имелись, отдали нотариусу за печать. Согласись, так проще получить наследство. И точно без грязи и взлома семейных склепов. Поэтому я прошу тебя не разглашать той информации, что ты сегодня от меня получила. Ну и о прочем лучше помалкивать... О чем — ты знаешь!

— Хорошо, — подумав, сказала она.

Все то, что Дэн рассказывал сейчас, могло быть враньем. От начала и до конца. Но Алиса ему поверила. Чисто интуитивно. Не пытаясь анализировать...

Поверила — и ВСЕ!

— Будете еще что-нибудь? — спросила подбежавшая к столику официантка.

Дэн вопросительно глянул на Алису. Она покачала головой.

— Будьте добры, счет.

Девушка кивнула и удалилась. Не прошло и минуты, как она вернулась с кожаной папочкой.

— Сколько там с меня? — поинтересовалась Алиса.

— Обижаете, девушка. — Он и правда немного надулся. Но Алиса считала, что сделала правильно, спросив, на сколько она наела, напила. В Европе, где она часто бывала, мужчины не считают нужным платить за даму. В России многие взяли с них пример. В принципе, Алиса в этом ничего плохого не видела. Если свидание деловое или приятельское, то каждый за себя. А еще — если оно первое, даже предполагающее дальнейшее развитие событий. Вот станет человек, с которым ты пришла в ресторан, твоим парнем, тогда да, пусть платит.

Но пока вы друг другу никто, почему бы не «распилить» счет? И он не жалеет потраченных денег, в случае если не возникло притяжения, и ты себя не чувствуешь обязанной...

Сунув в папку несколько купюр, Дэн поднялся. Алиса — следом за ним.

Выйдя на улицу, оба поежились. Похолодало.

— Ты домой сейчас? — спросила у Дэна Алиса.

— Да. Буду машину ловить, тебя подбросить?

— Нет, спасибо. Хочу пройтись, потом решить, куда и на чем. — Она помахала ему. — Пока! — И собралась уйти, но Дэн остановил ее окликом:

— Подожди.

— Что такое?

— Хочу тебя кое-чему научить. Как бы в благодарность за молчание.

— Очень интересно. И чему же?

— Приему самообороны. Любой девушке надо уметь за себя постоять. А особенно той, вокруг которой странные дела творятся. Ну ты поняла, о чем я.

— Да. И готова к уроку.

— Смотри! — Он выставил вперед ладонь. — Повторяй за мной. — Она сделала, как велели. — Напряги ее. Пусти силу в бугор Венеры.

— Куда? — рассмеялась Алиса.

Он указал на внутреннюю сторону ладони, которую опоясывала линия жизни.

— А теперь выбрасывай ее вперед! Резко. Хорошо! Только когда до дела дойдет, целься в нос нападающего. Долбани его по нему так, чтоб слезы брызнули. Это ослепляет. Тут же — по яйцам ногой. Пока не очухался. Мочи!

— Тебя? — расхохоталась Алиса.

— Нет. Воображаемого врага. Представь, что он стоит перед тобой. Итак, мочи!

Алиса лягнула воздух.

— Нет, давай комплекс. Рука, нога...

Алиса выбросила руку, затем ногу. На ее взгляд, она выглядела нелепо, но Дэн остался доволен:

— Хорошо. Считай, в мышечной памяти отложилось. А теперь последнее. Человек, получивший два удара — в нос и пах, явно согнется. Не важно, какого он пола. Даже женщина получит болевой шок, пни ты ее в это место. И вот сразу, как нападающий скрючился, наноси ему удар в спину. Вот так! — Он согнул руку в локте и резко опустил ее. — Целься в позвоночник. Давай!

Алиса повторила комплекс. Нос-пах-спина.

— И что, у моего, как ты выразился, врага после этого дух из тела выйдет? — поинтересовалась Алиса.

— На время — да. Но ты его, конечно, не убьешь. Что самое главное. Тебе нужно противника обездвижить хотя бы на пару десятков секунд. А лучше вырубить. Тогда фора будет больше.

— Спасибо, Дэн. Но надеюсь, этот комплекс мне не понадобится.

— Я тоже.

— Теперь прощаемся.

— Пока!

— Чао.

— Если по-итальянски досвиданькаешься...

— Чего делаю?

— Так говорит мой дед — досвиданькаешься, то есть прощаешься. Так вот, если ты делаешь это по-итальянски, надо поцеловаться.

— Размечтался.

— В щечки...

— Ауфидерзейн, Дэн! — хохотнула Алиса и, развернувшись, зашагала прочь.

Часть пятая

Глава 1
Элена

Она влетела в кабинет сына и швырнула ему на стол журнал.

— Что это, черт возьми? — рявкнула Элена, нависнув над Оскаром.

— Если меня не обманывают глаза, последний номер нашего «мэгазина». — Он иногда вворачивал в разговор английские словечки. Например, вместо «круто» говорил «кул», а выражение «плохой парень» заменял на «бэд гай». На взгляд матери, это была дурная привычка, и от нее стоило избавляться.

Элена ткнула пальцем в фото на обложке.

— Я про это!

— Тебе не нравится? — Оскар взял в руки какие-то документы и сделал вид, что их изучает. Элена выхватила их и швырнула за спину.

— Это не то, что было утверждено, — по слогам проговорила она.

— Я изменил решение в последний момент. Имею право, как главный редактор.

— Кто тебя надоумил?

— Неужели ты считаешь, что я могу только под чью-то дудку плясать?

— Кто? — повторила Элена.

— Никто! — повысил голос Оскар. — Это моя идея. И когда она пришла мне в голову, я не побежал к тебе за одобрением, потому что решил — с меня хватит. Ты постоянно твердишь, что журнал МОЙ, а сама контролируешь весь процесс. Думаешь, я не знаю, что у тебя в редакции пара шпионов? Ты наделила меня номинальной властью, тогда как реально всем управляешь ты.

Конечно, он был прав. Она являлась кардиналом Мазарини, позволяющим Людовику восседать на троне и верить в то, что он все решает. Вот только она поступала так не во благо государства, а исключительно из желания сделать своего короля счастливым.

— Сын, ты дурак, — сказала Элена устало. — Уж извини, что я это говорю. Переворот нужно совершать обдуманно, а не повинуясь порыву.

Оскар хотел что-то возразить, но Элена рубанула воздух ладонью, веля замолчать.

— Но раз ты на него решился, будь готов к наказанию.

— Ты поставишь меня в угол? Лишишь сладкого?

— Я ничего не буду делать. Абсолютно. Ты принял решение, ты мужик, ты король, ты пуп земли. Значит, и ответишь сам. Но не передо мной. Я всего лишь твоя мать, желающая тебе счастья...

Сын настороженно посмотрел на Элену. Он не понимал, к чему она ведет, но чувствовал — она опять ткнет его, как котенка, в лужу на полу.

— Это! — Она снова уперла палец в фото на обложке. — Следственный материал! — Кончик ее ногтя упирался в лоб Коко, именно ее фото Оскар поместил на обложку. То самое, посмертное. — Опубликовав его, ты нарушил тайну этого самого следствия. Это преступление. Ты, как глава журнала, ответственный за него.

— Думаешь, мне грозят большие неприятности?

— Не только лично тебе, но и журналу. Не удивлюсь, если все экземпляры изымут из продажи, а тираж обяжут уничтожить. Потом редакцию оштрафуют, а возможно, и закроют.

Оскар побледнел. Испугался! Элена этого добивалась. Она не думала, что их накажут так строго, хотя по головке, конечно, не погладят, но сгущала краски намеренно.

— Но я же только фото опубликовал, — начал оправдываться Оскар. — Никакой информации...

— Зачем ты это сделал?

— Я решил, что это очень круто!

— Что — это?

— Опубликовать такое фото. Во-первых, оно шикарно. Во-вторых, скандально. В-третьих, даст толчок.

— Чему? — уже стонала Элена. Ее сын идиот!

— Развитию в ином направлении. Я хочу...

— Нет, — рявкнула она, не дав сыну договорить. — Ничего мы менять не будем.

— Но это мой журнал!

— Твой. Как и машина, что я тебе купила. Но это не значит, что я позволю тебе ее разбить. Если ты придешь ко мне и скажешь: мама, завтра разгоню ее и ударю об стену дома, я отберу у тебя ключи. С журналом ты хочешь сделать то же самое.

— А вот и нет! Напротив, я хочу его тюнинговать. Но сначала мы должны привлечь внимание к себе. Обложка — главный магнитик. Но только ее недостаточно. Видишь, что я написал в комментарии к фото?

— Стилист — неизвестен. Декоратор — неизвестен. Фотограф — неизвестен. Ты об этом?

— Тайна фото будет раскрыта в следующем номере.

— Выходит, ты обманешь читателей. По причине, которую я уже назвала.

— Не верю, что нас накажут так строго, как ты описала.

— Позвони кому-нибудь из полицейских, ведущих дело. Спроси у них.

— Может, лучше ты?

— Нет, друг мой. Решение твое, ответственность тоже. Разруливай ситуацию сам.

Конечно, она все сделает, чтоб помочь сыну. Но зачем ему об этом знать? Пусть помучается. Глядишь, впредь умнее будет.

И тут Оскар удивил.

— Хорошо, я все решу сам, — сказал он. — Но если я смогу это сделать, ты перестанешь мне указывать, как поступать.

— Я никогда на тебя не давила. Только давала советы.

— Мам, я не такой дурачок, каким ты меня считаешь. Я знаю, что проживаю жизнь по тому сценарию, который для меня написала ты. Не упрекаю. Ты стараешься для моего блага. Но есть то, что я с трудом тебе прощаю.

— То, что я тебя увезла из Риги?

— Нет. Это ты правильно сделала. Там бы я спился, скорее всего.

— Тогда не понимаю...

— Ты лишила меня отца.

— Да я с ним и жила столько лет только из-за тебя! — возмутилась Элена. — Мы развелись, когда ты уже вырос. И я напоминаю, ты остался с Робертом в Прибалтике...

— Я не о нем, — перебил ее Оскар. — А о НА-СТОЯЩЕМ своем отце. Биологическом. Только не говори, что Роберт и есть он.

— Конечно, кто же еще?

— Васко. Ты забеременела от него.

— Что за вздор?

— Мама, мы сделали анализ ДНК.

— Мы? Он тоже знает?..

— Да. Вот уже полгода мы общаемся как отец и сын.

Элена ушам своим не верила. Она-то думала, что эта тайна умрет вместе с ней. А вот поди ж ты... Она уже давно раскрыта!

— Помнишь, Васко на операцию лег в прошлом году? Она еще не очень хорошо прошла, и он потерял много крови? — Элена кивнула. Тогда они очень за старого друга переживали. Боялись, что не выкарабкается. — Я пришел навестить его. Сижу в палате, и тут врач заходит. Говорит, какие-то перебои с кровью. Вливать нечего. И глянув на меня, спрашивает у Васко: «У сына вашего какая группа?» Я ответил, что четвертая. У Васко такая же оказалась. А ведь это редкая группа. Такая только у семи процентов населения Земли. Я сдал кровь. Ее Васко перелили. И знаешь, именно после этого он на поправку пошел. А когда выписался, у нас разговор состоялся. Серьезный. Васко, оказывается, у доктора спрашивал, почему он решил, что я его сын. Тот ответил, что между вами явное сходство. И задумался Васко. Произвел подсчеты нехитрые. И понял, я вполне могу оказаться его отпрыском. Я также этого не исключал. И знаешь, почему? Меня как-то сразу к нему потянуло, тогда как с Робертом у меня не было близости. Я думал, это потому, что я слишком тебя люблю. На другого родителя этого чувства просто не хватает. Но

Васко... ты прости меня... его я люблю не меньше тебя. И злюсь на тебя за то, что ты скрывала от меня правду. Хорошо, что мы узнали ее. Пусть и поздно, потеряв столько времени. А если б она не открылась нам?

— Так и было задумано.

...С Робертом Элена переспала в тот же день, когда узнала, что Васко влюблен в другую. Он давно ее добивался. И подруги не понимали, как можно отказывать такому красавцу. А ей нужен был только ее улыбчивый маленький хорват. Но когда он променял ее на другую, Элена, чтобы забыться или доказать что-то самой себе, отдалась Роберту. О чем пожалела, когда протрезвела, и решила больше такого не повторять. Он ей звонил после, приглашал на свидания, но она находила причины для отказа. И они, в принципе, были объективными. Ей правда было не до него...

И даже не до себя.

Поэтому она как-то не заметила, что месячные не пришли вовремя.

Спустя три с половиной месяца Роберт приехал попрощаться — он уезжал к себе на родину. Увидев Элену, он сразу понял, что она в положении.

— Почему ты скрывала это от меня? — поразился он.

Потому что ребенок не от тебя, а от Васко, хотела ответить ему Элена, но лишь пожала плечами.

— Ты думала, раз у нас было всего раз, я не захочу брать на себя ответственность?

На сей раз она кивнула.

— Дурочка, — с мягким упреком проговорил он. — Я по уши в тебя влюблен. И давно мечтаю о семье. Выйдешь за меня замуж?

Она и вышла.

Когда на свет появился Оскар, Элена испугалась. Он совсем не походил на мужа. А еще уродился в папу темненьким, тогда как Роберт был таким же светлым, как и Элена. Спасла положение, как ни странно, свекровь. Посмотрев на ножки новорожденного, она воскликнула: «Да у него твои пальцы! Смотри, второй больше первого!»

Первое время Элена не могла забыть о том, что Оскар — сын Васко. Искала в нем сходство с биологическим отцом. Находя, ужасалась, поскольку ее муж был его прямой противоположностью. Но к тому моменту, когда сын пошел в школу, Элена даже саму себя убедила в том, что Оскар стопроцентный Робертович.

Но когда она вернулась в Москву и встретилась с Васко, то первое, что подумала, узнав о его одиночестве: ТАК ТЕБЕ И НАДО! Ты предал меня. И вот тебе от самой судьбы наказание. Ты страдаешь от того, что у тебя нет детей. Вот и страдай. Потому что о том, что у тебя есть сын, ты никогда не узнаешь...

— Мам, а может, вы поженитесь? — услышала Элена голос Оскара. Задумавшись, она позабыла, что находится в его кабинете.

— Кто это — мы?

— Ты и Васко.

— О боже! Что за глупости приходят тебе в голову?

— Но вы же когда-то любили друг друга.

— Нет, сынок, это я его любила. А он мечтал лишь о Коко.

— Но теперь ее нет.

— Даже если бы у меня остались чувства к Васко, я не вышла бы сейчас за него.

— А он бы на тебе женился. Он мне сам говорил.

— Понятное дело! Кто еще обеспечит его старость?

— Он понял, что ты женщина его жизни!

— Какое своевременное прозрение, — фыркнула Элена. — Все, закончим с этими глупостями.

— Давайте хотя бы вместе поужинаем и все обсудим?

— Что — все? Вы узнали правду, наслаждайтесь. Я только испорчу вашу семейную идиллию...

И покинула кабинет сына, не слушая реплик, бросаемых Оскаром ей вслед.

Элена шагала по коридору и прислушивалась к себе. Что она чувствует? Спокойствие. «Тайна века» раскрыта, а ей... плевать? Да, сначала она опешила. Расстроилась. Немного испугалась. А теперь какую-то даже легкость стала испытывать. Будто камень с души...

Вспомнились слова Оскара о женитьбе. И вызвали у Элены улыбку. Мальчику давно перевалило за тридцать, а он мечтает, чтоб папа с мамой воссоединились. Или эту мысль вложил в его голову Васко? Устал один мыкаться, хочет под женское крыло. Вот только под Элениным уже есть птенчик. Хватит с нее.

Она вообще не хотела замуж. Даже гражданского брака избегала. А вот гостевой бы ее устроил. Да такой допустим только между равноправными партнерами. Попадись Элене взрослый, энергичный, состоявшийся мужчина со схожими интересами и, что немаловажно, живущими отдельно детьми, она бы его не упустила. Но те ее ровесники, что не превратились в замшелых пней, либо были прочно закованы в брачные узы, либо гонялись за юными девчонками, либо ударялись в философию или религию, что, по мнению Элены, говорило о пониженном либидо, а импотента она рядом с собой видеть не желала категорически.

Тот, с кем она имела последние серьезные отношения, был всем хорош. Пятидесятитрехлетний бездетный вдовец. Спортивный корреспондент. Большой умница. Легкий на подъем. Ироничный. Сексуальный. Очень по-мужски выглядящий. Они весьма гармонично смотрелись вместе (хотя он все же был помладше) и время проводили интересно. Виделись один-два раза в неделю. Вместе ездили на отдых. Элена уже решила, что вот оно, ее позднее счастье, как все рухнуло.

Ее избранник однажды за ужином сообщил ей о том, что женится.

— Это шутка такая, да? — криво улыбнулась Элена.

— Нет. Я серьезно. Но это никак не помешает нашим отношениям, не беспокойся.

— Как это? Не помешает?

— Разве что ко мне не сможем ездить, но мы и так проводили почти все время у тебя. Я так же буду оставаться на ночь, потому что всегда смогу наврать про командировку. И отдыхать мы сможем вместе. И ходить в рестораны, как сейчас, так как у меня бывают деловые встречи и с женщинами, а ты не любительница прилюдных нежностей, и мы не засветимся...

— Ты не говорил, что у тебя есть невеста.

— Она появилась недавно. После того как мы познакомились. Пока с ней все было вилами по воде писано, я помалкивал. Теперь, когда заявление в ЗАГС подано, я сообщаю.

Элена стала молча собираться. Отложила вилку, убрала с колен салфетку, взяла сумочку.

— Ты зла на меня? — Он схватил ее за руку, удерживая за столом. — Но почему? Я думал, ты, именно ты, все поймешь. Ведь ты такая умная, адекватная, понимающая. Ты потрясающая. Но... Очень взрослая.

— Ты хотел сказать, старуха?

— Нет. Мне нравятся и твой возраст, и твоя внешность, и твой характер. Но ты не можешь родить. А мне нужен наследник. Поверь, если б ты могла подарить мне его, я на других даже не смотрел бы.

Он еще что-то говорил, но она не слушала. Потом сказала, что идет в туалет, а сама ушла из ресторана. Она не желала становиться любовницей. И уж тем более — «молодого» мужа и отца.

С тех пор прошло два года. За это время она сменила троих любовников. Все были младше ее сына и обходились ей в «овальную» сумму. Это словосочетание употреблял Оскар. Она от него переняла. То есть круглой сумму не назовешь, но и не сказать, что она мала. В общем, содержание любовников влетало в копеечку, но не пробивало бреши в бюджете.

Элена зашла в свою приемную. Хотела попросить у секретарши кофе, но той на месте не оказалось. Самой готовить его не хотелось, и Элена взяла из холодильника воды. С ней проследовала в свой кабинет.

Сев за стол, она покосилась на мобильный телефон — светятся ли на экране значки непринятых вызовов? Но нет, он непроницаемо черен.

Значит, Миша не звонил. А она хотела бы этого.

Вчера между ними кое-что произошло.

...Майор явился для разговора к ней домой. Элена встретила его во всеоружии: с подтянутым после маски лицом и свежим макияжем на нем, с тщательно уложенными в небрежные вихры волосами, одетая по-домашнему уютно, но элегантно. Вообще-то она всегда выглядела хорошо. Даже если никого не ждала. Но не красилась так тщательно и с прической не заморачивалась — могла волосы забрать резинкой. Но вот чего себе не позволяла никогда, это ходить по дому в чем придется. Халаты и пижамы Элены стоили не дешевле выходных платьев. Для встречи с Михаилом она выбрала свой лучший домашний наряд: японское кимоно нежно-голубого цвета. Оно отлично сидело на фигуре, подчеркивая ее стройность, и оттеняло глаза.

Она проводила его в комнату, усадила на диван, предложила кофе. Он отказался. Сказал, за день уже литра три выпил.

— А может, вина? Или вам нельзя при исполнении?

— В принципе, я на службу уже не вернусь. После сразу домой, так что...

Элена принесла бутылку вина, которую на всякий случай заранее охладила. К ней фрукты.

Они выпили. Побеседовали. Сергеев задавал вопросы, на которые она уже давала ответы. Наконец не выдержал, признался:

— Я не как со свидетелем с вами встретиться хотел, а как с женщиной.

— Тогда уместнее перейти на «ты».

— Наверное... Только я... Как говорил персонаж «Нашей Раши» — че-то очкую. Извините, если это слово резануло ваш слух...

— Это все из-за того, что я гораздо старше?

— Нет. Просто вы... Ты! — Он стал подыскивать подходящее слово, и наконец его осенило: — Леди.

— Как говорила Коко — леди-бледи, — рассмеялась Элена. — И коль ты, Миша, проявил ко мне интерес как к женщине, значит, я уже вне подозрений?

— Вне, — подтвердил он. — Та дама, что на тебя похожа, живет в подъезде. Я с ней уже имел беседу.

— Правда, нас можно спутать?

— Спутать — нет. Но вы похожи. Только я бы принял тебя за ее младшую сестру.

— Ей что, восемьдесят?

— Ей пятьдесят один.

— Опять льстишь, — отмахнулась Элена.

— Вот это я делать не умею. Как есть, так и говорю.

А потом он подался вперед и поцеловал ее...

Все! Больше ничего между ними не было. Михаил как-то сразу застеснялся, быстро допил вино и сбежал.

Но Элена почему-то не сомневалась, он еще вернется.

Она налила себе воды, хотела выпить, когда вдруг распахнулась дверь.

— Элена Александровна, это я! — выпалила нарисовавшаяся на пороге секретарша. — Черт, постучать забыла, извините...

— Чего уж теперь, — проворчала Элена. — Кофе мне сделай, пожалуйста.

— Да, обязательно. Только сначала вот на это посмотрите... — Она прошла к ее столу и выложила на него стопку свежей прессы.

— Ты же знаешь, я не читаю газет. Тем более бульварных.

Но секретарша настойчиво подвинула стопку к Элене. Пожав плечами, та взяла первую газету, развернула ее и...

Обомлела.

На первой странице фотография Коко. ТА САМАЯ!

— Это что же такое?.. — растерянно пробормотала она.

— Смотрите дальше...

Она перелистнула страницу и наткнулась взглядом на портрет Сью.

Опять же ТОТ САМЫЙ.

— Эта фотка только в двух газетах, — доложила секретарша. — А та, которую поместил на обложку ваш сын, во всех. Элена Александровна, это трендец! Уж извините за мой французский. «Модистка» теперь в одном ряду с бульварной прессой.

— Да, ты права, это трендец, — проговорила Элена и взяла телефон, чтобы позвонить Сергееву. Если он еще не знает, что кто-то из их отдела слил информацию желтым изданиям, она ему сейчас об этом сообщит.

Глава 2

Алиса

Свет бил в глаза, мешая спать. Алиса повернулась на другой бок, но ничего не изменилось. Схватив край одеяла двумя руками, она рывком натянула его на лицо. Стало темно, но душно. И сон пропал окончательно.

Отбросив одеяло, Алиса села на кровати. Только сейчас она сообразила, что находится не дома, а в гостиничном номере с панорамным видом на Москву-реку. Перед тем как лечь, она не опустила жалюзи, вот ее свет и разбудил. Она встала, подошла к окну. Вид из него не радовал. Ночью, когда город сверкал огнями, он был лучше. Сейчас же все выглядело серо.

Она включила чайник и пошла в ванную. В стоимость номера входил и завтрак, но Алиса не хотела есть. Только чаю. А он, к счастью, в номере имелся. А еще клубника. Она обнаружила ее на прикроватной тумбочке, когда вселилась.

Решение не ночевать дома она приняла спонтанно. Распрощавшись с Дэном, она решила пройтись по хорошей погоде и направилась к реке. Путь до нее занял минут двадцать пять, хотя, будь на ней сапоги без каблуков, времени потребовалась бы меньше. Дойдя до закованного в бетон берега, она почувствовала усталость. Хотелось присесть. Но плюхаться на холодный парапет Алиса не рискнула. Поэтому она направилась к лавочке, стоящей под козырьком гостиничного крыльца. Пока двигалась к ней, рассматривала здание. Подняв глаза, увидела, как в окне пентхауса зажегся свет. Номер стал хорошо виден. Он показался Алисе таким уютным, что захотелось очутиться в нем: принять душ, закутаться в халат, сесть на подоконник и выпить фужер белого вина, глядя на утопающий в огнях город.

И она прошагала мимо лавочки, зашла в фойе отеля, сняла пустующий пентхаус и провела в нем эту ночь.

Умывшись и прополоскав рот, Алиса вышла из ванной. Дорогой номер, халат, тапки, чай, фрукты, а зубной пасты и щетки нет. Ее всегда это удивляло. Почему отельеры обеспечивают своих клиентов всем, начиная от мартини в мини-баре и заканчивая губкой для обуви, а о гигиене их полости рта забывают? Шампуни, мыло, гели для душа, молочко для тела кладут. А пасту и щетку —

нет. Она бы сейчас отдала за это и набор ниток с иголками, и блокнот с ручкой, и шапочку для душа, не говоря уже о клубнике — ее она терпеть не могла.

Вода согрелась. Алиса залила ею чайный пакетик. Бросила в стакан кусок коричневого сахара, размешала. Часы показывали девять. До выселения еще три часа. Можно остаться: поваляться на шикарной кровати, посмотреть телевизор, допить вино, за которое все равно придется расплатиться, на завтрак наконец сходить, он до десяти. Но Алиса решила выехать в ближайшее время. Она не любила гостиницы, потому что слишком много времени проводила в них, и сейчас жалела, что заселилась в эту. Тот час, что она провела, сидя на подоконнике, не стоил тех денег, что она отвалила за номер. А спала она неспокойно и вскочила рано.

Прихлебывая чай, Алиса просматривала телефон. Куча сообщений, в том числе от Глеба. Он слал их ночью, когда она спала. Последнее содержало одно слово: «Вернулся». Алиса тут же набрала номер жениха.

— Да, — сонно ответил он.

— Привет. С возвращением.

— Доброе утро, милая, — голос сразу стал бодрым. — Хотел позвонить тебе по прилету, а потом решил не будить раньше времени. У тебя ведь сегодня съемка?

— Нет, ее перенесли. Исполнитель песни не смог выйти из запоя к сроку. Так что у меня сегодня свободный день.

— Отлично. Я приведу себя в порядок и заеду за тобой. Предлагаю пообедать в том ресторанчике, где мы с тобой фондю в прошлый раз ели, а потом ко мне.

— Глеб, я хотела к родителям Сью ездить. Может, им помощь нужна...

— А не легче позвонить и спросить, а если нужна — съездить?

— Наверное, ты прав, так и сделаю.

— Я безумно соскучился.

— Я тоже... — Алиса знала, Глеб не любит, когда она так отвечает. Особенно на его «я тебя люблю». Но ей всегда тяжело давались слова о чувствах. Она произносила их пусть с небольшим, но все же напрягом.

— Тебя не удивило, что я так скоро вернулся?

— Удивило. Что-то сорвалось, да?

— Напротив, все срослось! Большой куш сорван!

— Ура!

— Сразу после подписания контракта я помчался в аэропорт, хотел поскорее попасть в Москву. И вот я тут. Теперь весь твой.

— Я нахожусь недалеко от твоего дома. Хочешь, приеду?

— Сейчас?

— Через полчаса могу быть у тебя.

— Я небрит, лохмат, вонюч, боюсь, тридцати минут мне не хватит, чтоб привести себя в порядок.

— Скоро мы станем мужем и женой, и тогда я буду видеть тебя и в беспорядке, — рассмеялась Алиса. — И я очень сомневаюсь, что все так плохо, как ты описал.

— Дай мне час, милая!

— Хорошо, час. Но ни минутой больше! Время пошло...

И, продолжая улыбаться, отключилась.

Пока она говорила по телефону, чай остыл. Алиса решила не заваривать свежий, а спуститься в ресторан. Она созрела до молочной каши с изюмом и персикового йогурта.

Одевшись и взяв сумку, она покинула номер. Пока спускалась в лифте, придирчиво рассматривала свое отражение. Элена права — ей нельзя худеть. Сейчас, сбросив пару кило, она выглядит не лучшим образом. К свадьбе нужно будет набрать вес. А еще чуть изменить цвет волос, сделать их потемнее. Ей всегда казалось, что фата больше идет брюнеткам. А блондинкам — цветы и ободки. Еще веночки и крохотные шляпки. Но она совершенно точно будет выходить замуж в фате. Длинной-длинной. Чтоб ее несла за ней маленькая девочка в пышном розовом платьице и белых чешках...

Алиса нахмурилась. Что за картинка нарисовалась ей сейчас? Она уже как будто видела ее. В кино? В мелодрамах и романтических комедиях часто мелькают подобные кадры. Или на свадьбе у одной из приятельниц? Нет, вряд ли. Ни одна бы из них не нарядила девочку в платье из ацетатного шелка, а тем более — не обула бы ее в чешки. Это когда Алиса была маленькой, они считались парадными, теперь же девочки щеголяют в туфельках на каблучках...

И тут она вспомнила!

Это она несла за невестой фату. Ей тогда было три годика. Розовое платье в пол сшила мама. Из того материала, что смогла достать. Издали наряд выглядел чудесно, но в нем было жарко, и Алиса мечтала поскорее раздеться. Единственное, что ее тогда радовало, так это чешки. Белые туфельки они не смогли купить к торжеству, и девочку обули в то, что имелось.

Больше Алиса ничего не вспомнила из того дня. Даже лица невесты. Видела ее только со спины.

Что было странно, потому что фату она несла за своей мамой.

С Алисиным отцом она рассталась сразу после выписки из роддома. Узнала, что, пока она там лежала, он загулял. Не смогла простить — ушла. Супруг предпринял попытку ее вернуть, но настойчивости не проявил и, получив один раз от ворот поворот, смирился с решением благоверной. Когда развод был оформлен, он уехал на Север и там сгинул. Алиса отца ни разу в жизни не видела. Даже на фото — мама изничтожила все совместные снимки.

Оставшись одна с маленьким ребенком, женщина поставила на личном счастье крест. Решила, что теперь точно никому не нужна. У нее и раньше не особо с мужчинами ладилось. В девках засиделась до двадцати семи и выскочила замуж, толком ухажера не узнав. Думала серьезный, надежный, а оказался гулякой. «Ничего, — успокаивала она себя. — Не в мужиках счастье, а в детях. Дочка, слава богу, у меня есть. Ради нее жить буду!»

Но, как оказалось, зря она так мрачно смотрит на свое будущее. Уже через полтора года у нее появился ухажер. Очень положительный мужчина ее возраста. С ним мама познакомилась, когда вышла на работу после декретного отпуска. Она в отделе кадров трудилась, а мужчина устраивался к ним в лабораторию научным сотрудником.

На этот раз женщина не торопилась. Шла к отношениям медленными шажками. И согласие на брак дала только после того, как убедилась: ее ухажер — достойная партия. Даже удивительно, что такого замечательного никто до сих пор к рукам не прибрал. И ладно бы он от серьезных отношений бежал, так нет, очень их хотел. Готов был

Алисину маму под венец вести чуть ли не сразу после знакомства. Но она больше года мужчину изучала, прежде чем сказать «да».

Она не хотела идти под венец в белом. И пышной церемонии устраивать. Думала, они скромно распишутся, потом посидят дома узким кругом, отметят. Но жених настоял на торжестве по всем правилам. И невесту желал видеть в настоящем свадебном наряде: в белом платье и фате. Та возражала сначала, потом решила порадовать будущего мужа. В конце концов это у нее вторая свадьба, а у него первая, пусть насладится ей. Тем более все расходы он брал на себя.

Алиса помнила, как мама шила платья — свое и Алисино. Бабушка ей помогала. Вдвоем они сидели на полу в облаке искусственных шелков и кружева и соединяли детали вручную, потому что машинка испортила бы материалы. Алиса, чтобы не мешать им, ютилась в уголке и пыталась из обрезков соорудить наряд своей кукле. Обычно мама с бабушкой разговаривали за работой, и она слушала их до тех пор, пока не засыпала, уронив голову на рулон бязевого полотна, подготовленного для пышного подъюбника.

На том ее воспоминания обрывались. Дальше большой пробел, длиной в год...

И вот ей четыре. Она задувает свечи на торте...

А мамы уже нет в живых.

Теперь же, по прошествии стольких лет, вспомнилось, как волновалась мама в день свадьбы. Руки ее так тряслись, что она не могла вставить в уши сережки. Потом запуталась в фате и чуть не упала. Тогда-то и решили, что ее за невестой понесет Алиса.

...Лифт опустился. Двери разъехались. Алиса вышла в фойе и направилась к ресторану. Ей уже не хотелось каши и йогурта. Рот наполнялся слюной при мыслях о яичнице с беконом и теплом круассане с маслом и апельсиновым конфитюром. Это был завтрак Глеба. Алиса не разделяла с ним его — слишком калорийный. Но сейчас, когда у нее явный недобор килограммов, можно себе позволить жирное, жареное и сладкое. Глядишь, скорее поправится.

«Странно, что я забыла такой яркий эпизод из своего детства, — подумала Алиса, вернувшись к тем мыслям, от которых ее отвлекли мечты о яичнице. — Редкой девочке выпадает возможность нести фату за мамой-невестой...»

Но еще более странным ей показалось то, что ей об этом не напоминала бабушка. Она вообще избегала разговоров о втором браке своей дочери. Как будто его и не было. Алиса клещами вытягивала из бабушки сведения. Но добилась только сухого факта: «Он продлился всего пару дней, твоя мама с мужем погибли в аварии вскоре после свадьбы».

...Алиса отправила в рот кусок жареного бекона, прожевала его, запила соком, затем сделала глоток кофе по-венски. Промокнув рот салфеткой, она хотела вернуться к завтраку, но тут ее посетило еще одно видение, и она застыла с вилкой у рта...

Торт, украшенный лебедями, стоит в центре стола. И пахнет, как сейчас ее кофе, — взбитыми сливками, шоколадом и миндалем. Мама отрезает от него куски и подает гостям. Птичек она обещала оставить дочери, и та следит, чтоб они никому не достались...

Потом, когда Алиса их заполучила и попробовала, оказалось, что лебеди хоть и съедобные, но не вкусные. И лучше бы ей достались розочки со второго яруса.

...И снова пустота! Но в этом странности не было. Торт обычно подают в конце вечера, и Алиса могла просто-напросто, дождавшись своих лебедей, уснуть.

— Извините, — услышала она голос над ухом.

Подняв глаза, Алиса увидела импозантного господина с усами. Он стоял, чуть склонившись, и улыбался. Турок, сразу определила она.

— Доброе утро, — поприветствовал он Алису. — Не возражаете, если я присяду за ваш столик?

Она пробежала глазами по залу. Почти все столы были заняты, но несколько все же пустовало. Значит, познакомиться хочет.

— Пожалуйста, — ответила она.

Усач поставил на стол кофе и тарелку с бутербродами.

— Я иду за фруктами, вам захватить что-нибудь?

— Нет, спасибо, я уже поела.

На лице мужчины отразилось разочарование.

— Может, тогда вместе поужинаем?

Алиса с улыбкой покачала головой.

Турок попытался сунуть ей свою визитку, но она сделала вид, что этого не заметила. Весьма кстати зазвонил телефон. Алиса достала его и глянула на экран. «Игорь Верник» — прочла она. Придется ответить.

— Здравствуйте, Алиса, — поприветствовал ее следователь. — Не отвлекаю?

— Отвлекаете, — соврала она. А что ей оставалось? Ближайшие часы она планировала провести в обществе своего жениха, а не полицейского.

— Нам нужен ваш компьютер.

— Зачем? — удивилась Алиса.

— Сюзанна пользовалась им, когда жила у вас.

— Но у нее с собой был планшет. Для чего ей мог понадобиться мой ноутбук?

Вопрос остался без ответа:

— Когда мы могли бы забрать его? Вы не беспокойтесь, вернем в целости и сохранности завтра же. В крайнем случае послезавтра.

— Могу оставить ключи на ресепшене гостиницы, в которой сейчас нахожусь, приезжайте, забирайте.

— Приятно с вами иметь дело, девушка. Говорите название и адрес отеля...

Через десять минут Алиса ехала к Глебу. Как раз прошел час, и он уже ждал ее.

Глава 3

Дэн

Он лежал на кровати, закинув руки за голову — это была его любимая поза. Время приближалось к обеду, а Дэн еще не завтракал. Перевернувшись на живот, он нащупал пульт, брошенный на пол, включил телевизор. Увидев знакомые кадры сериала «Место встречи изменить нельзя», он сменил канал. Детектива ему на данный момент в жизни хватает! Нужно переключиться на другой жанр, желательно комедийный, а то настроение поганее некуда.

— Хватит валяться, — услышал он голос Нины. — Сколько можно?

— Я тебе мешаю? — спросил Дэн. Сегодня он ночевал у матери.

— Ты меня раздражаешь. Терпеть не могу лежебок.

— У тебя унитаз потек? Лампочка перегорела? Гвоздь из стены вывалился? Нет? Тогда дай мне спокойно полежать.

Насупившись, она ушла в кухню. Принялась там греметь кастрюлями. Не факт, что готовила. Наверняка просто, назло сыну, создавала раздражающий шум.

Пришлось встать.

— Макароны с яичком будешь? — спросила Нина, увидев сына на пороге кухни. Как он и думал, кастрюли на плите стояли пустыми. Только на сковороде лежали вчерашние макароны.

Дэн покачал головой.

— А больше нет ничего. Разве что овсянка на воде.

— Я бы чаю выпил.

— Сейчас поставлю. Только у меня ни конфет, ни печенья.

Коко, сама не евшая сладкого, всегда имела коробочку конфет для гостей. Дед за четверть часа мог приготовить угощение: блинов напечь, манник сварганить, гренок в конце концов нажарить и подать их с вареньем. А закуску под самогонку вообще за пять минут организовывал — откроет солений, овощей настрогает, сало или рыбку копченую достанет из холодильника. Все, что в доме есть, на стол выложит...

Родители Нины были гостеприимны. Она пошла не в них.

Дэн попил пустого чая. Нина составила ему компанию.

— Ты когда на работу устроишься? — спросила мать.

— Сразу, как найду ее.

— А ты ищешь?

— Просматриваю объявления.

— Деньги сейчас понадобятся, Данила.

— Они всегда нужны.

— А сейчас — особенно. Тебе, возможно, адвоката придется нанимать. Его услуги стоят ой-ой сколько!

— Ты же сказала, что к завещанию не подкопаешься.

— Мало ли, — пожала плечами Нина.

— Мне предложили в фотосессии для журнала поучаствовать. Вот думаю, соглашаться или нет.

— Если не для порножурнала, то нечего и думать.

— Мама! — с упреком протянул Дэн.

— Нина, — поправила его та. — Так не порно?

— Конечно, нет. Журнал выпускает сын Элены Оскар. Помнишь его?

— Щекастый брюнет на «БМВ», да. — Нина тоже присутствовала на похоронах, но держалась на расстоянии. — А что за журнал у него?

— Называется «Модистка».

— Видела такой в киосках. Но ни разу не покупала.

— Я тоже. В следующем номере будет большая статья о свадебной моде с кучей фотографий.

— Ты, значит, женихом будешь на них?

— Да.

— Как здорово! А невестой кто?

— Я не спрашивал. Мне в общем-то все равно.

— Какой ты нелюбопытный. А мне было бы интересно, кто станет моим мужем, пусть и ненастоящим. — Она встрепенулась. — Слушай, а ты спроси, им возрастные невесты не нужны? Ведь замуж выходят и в пятьдесят, правильно? Я согласна даром сниматься. Только бы в платье походить свадебном. Так и не пришлось мне, увы...

— Какие твои годы, еще походишь.

— Скажешь тоже, — фыркнула Нина. — Я только за твоего отца замуж хотела. Он был мужчиной моей жизни. Остальные — так.

— А последний? Ты же с ним несколько лет вместе жила.

— Он грелкой моей был.

— В смысле?

— Которую на больное место кладут, чтоб не болело. С ним я забывалась и меньше горевала об Андрее. К тому же я у него жила, а эту квартиру сдавала. Отличная прибавка к зарплате.

Нина до сих пор работала на предприятии, куда ее устроил Андрей. Платили ей там немного, зато стабильно. Плюс квартирку дали (тут тоже не обошлось без помощи отца Дэна). Да и коллектив Нине нравился — мужской. Она в гараже работала диспетчером. Можно сказать, она неплохо устроилась в столице. Но Нина мечтала о большем:

— Вот вступишь ты в права наследования, продашь квартиру, поделим мы деньги пополам, и я заживу...

— Как? — поинтересовался Глеб. Она еще не делилась с ним своими конкретными планами.

— Хата твоей бабки стоит минимум два миллиона долларов. Выходит, по ляму на человека. На свой я куплю две квартиры...

— Не хватит.

— Хватит, — заверила его Нина. — Потому что одну в Москве, но не в центре, а вторую в Анталии.

— Зачем тебе квартира в Турции? Сдавать будешь?

— Жить. А сдам я две московские квартиры. Мне через четыре года на пенсию. Что я тут прозябать буду? Нет уж, увольте. Уеду к морю, буду там жизнь прожигать. А пенсия пусть копится... — И фыркнула: — На смерть.

— Надо же, как ты все распланировала. Поделила, если точнее, шкуру неубитого медведя.

— Никуда он от нас не денется, медведь этот. В крайнем случае сделаем генетическую экспертизу. Свое я в любом случае не упущу. Не для того... — И осеклась.

— Что — не для того?

Ее глаза лихорадочно забегали.

— Нина, что?

— С нотариусом в преступный сговор вступала, — выпалила она. — И платила ему за печать. Между прочим, кучу денег отдала.

— Моих денег, — напомнил Дэн.

— Моих, — возразила Нина. — Если учесть, что тебе их дала Коко. Все ее — мое. Я ее дочь.

— Иногда ты бываешь такой неприятной, — поморщился Дэн.

— А я не рубль золотой, чтоб всем нравиться.

— Я не все. Вроде бы...

И, отодвинув чашку, резко встал.

— Ой, только не надо этих капризов, Даня! Ты уже не ребенок.

— Я тебе их с детства задолжал, — огрызнулся он.

— Опять начинаешь?

— Слушай, я вообще значу для тебя что-то?

— Конечно, да. Что за идиотские вопросы?

— Мне порой кажется, что я... — Он задумался, подбирая подходящее сравнение. — Вот ты последнего своего мужчину грелкой называла. А я... стремянка, что ли? Которую подставляют, чтоб добраться до сочного плода. — Нина протестующе взмахнула рукой и попыталась возразить, но Дэн не желал ее слушать. — Вот скажи мне, в твоей радужной антальской жизни мне место есть?

— Я всегда буду рада тебя видеть у себя в гостях.

— Но не дольше нескольких дней? Я у тебя на одну ночь остался, а ты не знаешь, как меня поскорее выпроводить.

— Но уже день. А у меня свои планы.

— Не волнуйся, я уже ухожу.

И заспешил в комнату, чтобы собраться.

Нина явилась следом за ним. Встав за спиной Дэна, начала его тыкать пальцем и хихикать. Именно так, по-детски, она заминала конфликты. Могла еще мизинчик протянуть и прогнусить: «Мирись, мирись и больше не дерись!» Обычно Дэна это умиляло, а сегодня раздражало. Отмахнувшись от матери, он схватил куртку, сунул ноги в ботинки и выскочил за дверь.

Он знал, что отойдет уже к вечеру и сам ей позвонит. Как бы сильно он ни обижался на Нину, все ей прощал...

И она этим пользовалась.

Дэн покинул подъезд, сбежав по ступенькам, так как лифт был занят, а ждать, когда он освободится, не хотелось. Район, где обитала Нина, трудно было назвать престижным, но ему он нравился. Тихий, спокойный, с хорошей инфраструктурой. Да, очень удален от центра, но в этом тоже есть плюс — пробки не такие плотные.

До метро надо было ехать на автобусе. И Дэн, перед тем как направиться к остановке, решил перекусить. К счастью, поблизости стояла палатка с шаурмой и какой-то выпечкой. Дэн подошел к ней, осмотрел ассортимент. Мясо на вертеле, с которого повар срезал кусочки, выглядело аппетитно, но Дэн решил не рисковать и взять то, чем точно не отравишься. Его выбор пал на печеные пироги с картошкой. Чтоб запить их, Данила взял баночку спрайта и стакан чая, дабы согреться, если станет зябко после лимонада. Получив желаемое, встал за столик, чтобы поесть.

Пироги оказались вкусными, и он два смолотил за несколько минут. Оставался еще один, уже поостывший. Взяв его, Дэн отломил кусочек и сунул виляющему хвостом перед его столиком псу. Тот схватил угощение, но тут же выплюнул. Не пожелал тесто есть.

— Вот ты, брат, зажрался, — усмехнулся Дэн.

Пес гавкнул. Возразил как будто. Типа, ты сначала дай мне что-нибудь вкусное, хотя бы сосиску в тесте, а потом обвиняй в «зажратости». Дэн повернулся к ларьку, чтобы посмотреть, есть ли в меню недорогие мясные пироги (не шаурму же собаке покупать — жирно будет), как увидел Нину. Она выбежала из подъезда, на ходу застегивая пуховик. Сына она не заметила, а он не стал ее окликать. Было интересно посмотреть, куда она так спешит.

Оставив на столике недоеденный пирог и чай, он пошел за ней следом. Пройдя сотню метров, Нина остановилась. Огляделась. И увидев мужчину, направилась к нему.

Так вот почему она так настойчиво выпроваживала сына! У нее была назначена встреча.

Ну-ка, ну-ка... И с кем же?

Дэн присмотрелся к Нининому кавалеру и был несколько разочарован. Рядом с такой женщиной, как его мать, должен оказаться мужчина поинтереснее. А этот и внешне не ахти, и одет бедненько. Значит, человек хороший, решил Дэн. После чего развернулся и зашагал к остановке автобуса.

Глава 4
Васко

Подперев щеку рукой, он смотрел в монитор. На нем отображалась последняя из снятых в загородном доме олигарха фотографий. И на ней, слава богам, не было хозяйки. Только фасад особняка, увитый плющом. Этот кадр получился самым что ни на есть фактурным. Даже редактировать не пришлось. Выходит, все предыдущие портила эта маленькая дрянь, жена олигарха, не вписываясь в классические интерьеры дома.

— Она как светильник из «Икеи», угодивший в палаты царские, — пробурчал Васко, отправляя готовые кадры по электронной почте на ящик заказчицы.

Затренькал телефон. Васко покосился на него с настороженностью. Неужто опять из полиции?

Но нет, звонил Оскар.

— Я сказал ей! — выпалил он, едва Васко взял трубку.

— Что и кому?

— Маме о нас.

— Серьезно? Как ты решился?

— Она меня достала своими претензиями. И я высказал ей свою.

— И как она отреагировала?

— На удивление спокойно. Я не ожидал.

— Я тоже...

— У нее явно кто-то появился, и ей не до нас сейчас.

— Может, ей не из-за этого не до нас?

— Я ее хорошо знаю. Когда на личном фронте полный штиль (этих ее мартышек гламурных я не беру в расчет), матушка шагу мне ступить не дает самостоятельно. Держит меня за ползунки, чтоб я

Ольга Володарская

Дефиле над пропастью

якобы не упал, а на деле ей просто заняться нечем. Я сейчас не о бизнесе, а о межличностных отношениях. Но как только у нее появляется мэн — все. Она меня даже из манежа выпускает.

— Если Элена нашла кого-то, это хорошо.

— Ничего хорошего, — отрезал Оскар. — Опять потеряет время и останется одна. Потому что таких мужиков, какие ей нужны, в природе не существует. Когда она уже поймет, что лучше тебя ей не найти?

— Я очень ее обидел, Оскар.

— Раз она с тобой дружит, значит, простила.

— Это другое совсем...

— Ты так говоришь, как будто не хочешь жить с ней? Сам же говорил, что Элена — женщина твоей жизни.

— Да, но... Ведь не только и не столько от меня зависит.

— Понятно. Но от тебя тоже. И от меня. Раз мы заодно, значит, в большинстве.

Васко не сдержал улыбки. Таким решительным мальчик ему нравился. Оскар вообще в последнее время вел себя очень по-мужски. Васко тешил себя мыслью, что на него такое положительное влияние оказывает общение с НАСТОЯЩИМ отцом.

— Ну а что там с твоим учеником? — спросил «мальчик».

— А что с ним? Ищут. Я как передал флешку с фотографиями полицейским, они сразу к нему на квартиру поехали. Да Лешки там не оказалось.

— В федеральный розыск объявили?

— Вроде бы пока нет.

Разговаривая с сыном по телефону, Васко щелкал кнопкой мыши по экрану. Отправляемое им письмо было «тяжелым» и ушло только что. Он переключился на сайт с новостями Москвы. Пробежался глазами по экрану и обомлел. Оказывается, сегодня вышли в печать сразу несколько изданий с посмертными фотографиями Коко и Сью. Среди них оказался журнал Оскара.

Так вот о какой бомбе шла речь?

Только напутал что-то Оскар. Не бомба это. А картечь. Рвануло-то в нескольких местах...

— Я тебе еще кое-что рассказать хочу, — продолжил диалог Оскар. — Помнишь, я вчера упоминал о своих редакторских идеях?

— Ты сейчас в своем кабинете? — прервал его Васко.

— Да, а что? — растерялся Оскар.

— Открой сайт «Эмнью». Так и пишется, по-русски, пять букв.

— Сейчас.

До слуха Васко донесся стук клавиш, затем крепкое матерное словцо. Слышать такое от Оскара было дико. Пожалуй, при Васко он выругался впервые.

— Это катастрофа, — простонал сын. — Мы уподобились бульварным газетенкам!

— Ты этого добивался?

— Издеваешься? Я думал, у меня эксклюзив. А оказалось... — Снова матерок. Уже не такой забористый. — Как фотографии попали в столько редакций одновременно?

— Их кто-то разослал по ним.

— Но кто? Не полицейские же.

— Им-то зачем?

— А если утечка? Кто-то решил заработать и продал материалы газетчикам. Чтоб получить большую прибыль, слил инфу сразу нескольким изданиям.

— Наши таблоиды не так богаты, как западные. Сколько они могут заплатить? Несколько тысяч, не более. Никто не будет рисковать работой ради этих грошей.

— А если этот кто-то уже уходит из органов?

— Все равно может нарваться на крупные неприятности.

— Копии фотографий имелись только у нас с тобой. Я не рассылал их редакциям желтых газетенок. Ты тоже. Выходит, это сделал... убийца?

— Оскар, ты не о том думаешь, — строго проговорил Васко. — Сейчас тебе надо сконцентрироваться на том, как реабилитировать свой журнал.

— Есть кое-какие мысли...

— Озвучишь?

— Нет. Они еще не приобрели четкость. Зато я знаю точно, что станет главной темой следующего номера.

— И что же?

— Свадьбы! Ты знаешь, что Алиса выходит замуж?

— Нет.

— Мне мать вчера сказала. Глеб уже сделал ей предложение.

— Быстро они.

— Ей почти двадцать семь. Часики тикают. А Глеб — не худшая партия. Но не об этом сейчас. У нее контракт с нами на несколько съемок. Все уже в прошлом, кроме одной.

— Ты хочешь снять Алису в образе невесты?

— Да. И взять у нее интервью. А еще дополнить номер материалами со звездных свадеб. И еще придумать что-нибудь. — Оскар быстро взял себя в руки и теперь говорил совершенно спокойно. — Кстати, фотографом будешь ты. И кандидатуру мужчины-модели утвердил.

— Я знаю его?

— Наследник Коко, Данила.

— Красивый парень, одобряю.

— Он только что звонил мне, дал согласие. Осталось убедить Алису сняться. Но не думаю, что будут проблемы. Сейчас она свободна...

— И наверняка уже выбирает свадебное платье, — подхватил Васко. — А раз так, не откажется примерить несколько.

— Подыскать тебе ассистента или сам справишься?

— Работа только в студии?

— Нет. Еще и на пленэр[1].

— Тогда без помощника не обойтись.

Тут в ухо ударил гудок. Это кто-то пробивался по параллельной линии. Глянув на экран телефона, Васко застонал — поговорить с ним желала рублевская клиентка.

— Оскар, извини, мне тут звонит заказчик, нужно ответить.

— Ок, до связи.

И отключился. А Васко, переведя телефон на другую линию, принялся выслушивать претензии заказчицы.

Излагала она их минут десять, не меньше. Теперь основные претензии были к свету. Какой-то он был, по мнению барышни, не сказочный. «Девушка, вы определитесь, вам хочется оказаться в компьютерной игре или в иллюстрации к Белоснежке!» — рявкнул Васко и сбросил вызов. Переделывать работу он не собирался. И плевать на то, что не все деньги получены.

Васко встал из-за стола, потянулся, хрустнув суставами. Пора, пора собой заниматься. За лицом, волосами ухаживает, а тело запустил. А, ладно, полное оно, пропорции классические, и при

---
[1] От французского «на свежем воздухе». (*Прим. автора.*)

умело подобранной одежде можно очень неплохо выглядеть, так ведь негибкое. Наклониться проблема. Не говоря уже о прочем. Когда-то мог ногу за голову закинуть, а теперь даже руки за спиной сцепить не получается.

Эх, а как он крутил сальто перед Эленой! Тогда он был ею увлечен и хотел поражать. Они тогда стояли возле ее подъезда, до которого Васко ее проводил. А во дворе турник. Она: сколько раз сможешь подтянуться? Он: сколько смогу, столько раз ты меня поцелуешь. Договорились. Васко пятьдесят раз подтянулся. А потом еще сделал сальто. И Элена наградила его не только серией поцелуев...

Каким же он дураком был, когда ее упустил! Гонялся за химерой...

Зачем?

Элена сто очков давала Коко. И красивее, и умнее, и породистее.

Не Виктория королевой являлась — Элена.

И она его любила!

Васко тяжело вздохнул. Вернуть бы все назад! Да не выйдет. Он не верил, что планы Оскара насчет их воссоединения воплотятся. Элене... такой, какой она сейчас является... Васко не нужен... такой, как сейчас.

Тот, молодой — возможно.

Он видел, как Элена посматривала на опера Сергеева на похоронах. С интересом. А он очень молодого Васко напоминал. Разве что посерьезнее был да покрепче. Но типаж Эленин абсолютно. Уж он-то знал, какие ее привлекают мужчины...

Отключив компьютер и одевшись, Васко покинул студию.

Вечерело. На улице и в домах зажигались огни. Шел снежок. Очень приятный, редкий, вертикальный, он не залеплял глаза, не колол щеки, не засыпался под шарф. Только радовал глаз. Васко, идя по внутреннему двору, любовался тем, как снежок сверкает под ногами. И вдруг...

Удар.

Как раз по ногам. Васко, вскрикнув, стал заваливаться назад.

Перед тем как упасть, он увидел того, кто напал на него. Худощавый молодой мужчина в куртке с капюшоном. Лица не видно. Оно в тени. Зато рука, что тянулась к шее Васко, на свету. На запястье знакомая татуировка: символ бесконечности и надпись на латыни под ней. Если бы рукав задрался выше, Васко рассмотрел бы еще и рисунок, тянущийся от перевернутой восьмерки вверх. Дракон, устремляющийся ввысь.

...Такая была набита на руке Лешки.

Это он напал на Васко и, свалив его с ног, пытался задушить.

Глава 5
Алиса

Ей нравилась спина Глеба. Гладкая, без волосков, родинок, прыщиков. Ее было приятно гладить. Алиса пробежалась кончиками пальцем по позвоночнику. Глеб застонал.

— Как хорошо... А можешь почесать левую лопатку?

Алиса поскребла ее коготками.

— Ты всегда так точно определяешь место, где чешется.

Он перевернулся, сгреб Алису в охапку и прижал к себе.

— Даже не верится, что скоро ты станешь моей, — шепнул он ей на ухо.

— Я и сейчас твоя.

— Этому нет документального подтверждения. К тому же ты пока носишь свою фамилию.

— Я хотела бы ее оставить.

— Серьезно?

— Да. А ты против? — Она отстранилась и посмотрела ему в лицо.

— Честно говоря, да.

— Почему?

— Мы ведь планируем детей?

— Конечно.

— Мне кажется неправильным, когда они носят фамилию папы, а мама — свою собственную. Она как будто не с ними.

— По-моему, это глупости.

— Это, милая моя, традиции.

— Хорошо, я подумаю. Но ничего не обещаю.

— Алиса Багратионова, разве это не круто?

— Фамилия твоя мне нравится. Но перспектива переделывать документы не радует...

— Все это мелочи... — Глеб чмокнул Алису в щеку и вылез из кровати. — Я проголодался. А ты?

— Тоже. В ресторан ты меня так и не сводил.

— Еще не стал твоим мужем, а уже расслабился, — рассмеялся он. — Ты на это намекаешь? Если хочешь, поехали. Но я думал, лучше поужинаем в ресторане. Часов в восемь.

— Никуда не хочу. Ни сейчас, ни в восемь. Давай весь день валяться в кровати, заниматься любовью и болтать?

— Не ожидал от тебя это услышать.

— Еще не стала твоей, а уже расслабилась, — вернула его слова Алиса. — Ты на это намекаешь?

— Нет, просто это ты любительница светских выходов. Я-то домосед.

— Я соскучилась и хочу провести время с тобой наедине. Светская жизнь от нас никуда не денется.

Глеб вернулся к кровати, опустился на нее и, взяв Алисино лицо в ладони, проговорил:

— Знала бы ты, как мне радостно это слышать!

Она вытянула губы трубочкой, напрашиваясь на поцелуй. Глеб чмокнул ее. Не в губы, а в нос. И смеясь, вышел из спальни.

Алиса решила последовать за ним. Встав, она подошла к шкафу, открыла его. В квартире Глеба у нее были вещи: белье, колготки, кое-какая косметика, расчески. Но по дому она ходила в его рубашках. Он не возражал. Особенно ему нравилась Алиса в гавайке, которую он получил в подарок от приятеля, но сам никогда не носил. Говорил, что он смотрится в ней как деревенщина, а она подобна амазонке.

Сегодня Алиса накинула на себя голубую рубаху. Закатала рукава.

— Что будем готовить? — крикнул из кухни Глеб.

— Какие варианты?

— Иди, смотри, что мы имеем.

Алиса сунула ноги в мягкие тапки и пошлепала на кухню.

Глеб стоял у стола в фартуке на голое тело. Перед ним были разложены продукты: замороженные мидии и кальмары, две отбивные, начатая упаковка моцареллы, цукини, помидор и болгарский перец.

— Что скажешь? — спросил Глеб.

— Можно мясо с овощами пожарить. Или коктейль из морепродуктов сделать.

— Ой, совсем забыл! — Открыв висящий на стене ящик, он достал из него две коробки: одну с макаронами, вторую с рисом.

— Спагетти или ризотто?

— Спагетти.

— А овощей я все же хочу.

— Тогда ты занимаешься ими, я макаронами. А мясо назад в холодильник.

Готовил Глеб отлично. С душой и сноровкой. Поэтому дело у него заспорилось сразу. И на тот момент, когда Алиса только порезала цукини, он успел почистить креветки, поставить воду для спагетти и подготовить чеснок.

— Хочешь вина? — спросил Глеб, водружая на огонь сковороду.

— Пива хочу. Ты не привез? — Алиса не являлась любительницей этого напитка, но с удовольствием выпивала стакан настоящей немецкой «Баварии».

— Не успел. Сама знаешь, как торопился.

— Жаль.

— Есть сидр из прошлой поездки.

— Нет, уж лучше вина.

— В холодильнике початая бутылка розового мартини. Возьми, пожалуйста, сама, а то у меня руки грязные.

Алиса достала вермут, взяла фужеры.

— Мне не наливай, — бросил Глеб через плечо. — Я выпью немного виски. Но только после того, как закончу.

Занимаясь чем-то, он не любил отвлекаться. Наверное, поэтому у Глеба все получалось идеально.

Алиса наполнила фужер мартини, сделала глоток. Сладко. Она предпочитала «Экстра драй». Пришлось разбавить водой. Попробовав «коктейль» и оставшись им довольной, она вернулась к овощам.

— Ты хорошо помнишь свое детство? — спросила она у Глеба.

— Отлично.

— С какого момента?

— Помню, как свалился с качелей и сильно расшибся. Мне тогда было полтора годика. Потом мне подарили кота, чтобы утешить. Рыжего, как я мечтал. Он под машину попал через год, и больше я не просил заводить мне живность... — Глеб бросил в разогретое оливковое масло раздавленный чеснок, и по кухне разнесся аппетитный запах. — А у тебя что, проблема с детскими воспоминаниями?

— В них есть пробел длиной в год.

— Ты рассказывала о том, как вылезла из кровати, чтоб сходить на горшок, но перепутала его с кошачьим лотком, чем очень обидела вашего Барсика, — с улыбкой проговорил Глеб. — Тебе тогда года два было, да?

— Около того. После еще эпизоды помню, включая предсвадебные хлопоты мамы и бабушки. А потом бац — чернота. А дальше уже четвертый день рождения — я сужу по количеству свечей в торте. То есть год из жизни как ластиком стерт. А сегодня вдруг, когда представляла, какое бы мне хотелось свадебное платье, вдруг вспышка — вижу себя трехлетнюю, идущую за мамой к алтарю (если так можно назвать стойку регистратора во Дворце бракосочетания)...

— Сработала ассоциативная память, бывает. Ты думала о своей свадьбе и...

— Да, да, это все понятно, — не дала ему договорить Алиса. — Но почему меня пугают эти воспоминания?

— А они...?

— Да, пугают. Не до жути, но до холодка внутри. А еще я не могу вспомнить маминого лица. Вижу ее то спиной, то боком, то через кружево фаты.

— Это все потому, что она погибла вскоре после свадьбы. Для тебя тот период стал кошмарным. И подсознание заблокировало воспоминание о нем. Причем целиком. — Глеб бросил встревоженный взгляд на Алису. — Тебя сильно это тревожит? Если да, может быть, к психологу сходить?

Алиса покачала головой. Она не верила в психотерапию.

— Я вообще плохо помню маму. В общих чертах только. Знаешь, это как во сне. Видишь человека, узнаешь, но когда хочешь рассмотреть получше, приближаешься к нему, изображение расплывается.

— Хорошо, что есть фотографии. Они помогают вспомнить лица тех, кто давно ушел.

— Это не то, — покачала головой Алиса. — Тем более их очень мало у меня. Да ты сам видел, я показывала.

— Да. И свадебных среди них не было.

— Бабушка не стала забирать их у фотографа. Сказала, слишком больно было смотреть на них.

— Она была права.

Видя, что Алиса совсем расклеилась, Глеб подошел к ней, обнял. Она уткнулась ему в грудь, всхлипнула:

— Извини, что порчу такой чудесный день... И... — Она принюхалась. — Кажется, еще и спагетти.

— Пусть горят, — заявил он. — Главное, чтоб ты успокоилась.

Она сквозь слезы рассмеялась.

— Выключи газ. А то я останусь не только несчастной, но и голодной.

Глеб снял сковородку с огня и тут же вернулся к Алисе. Опустившись на стул, усадил ее к себе на колени.

— Понимаю, как тебе тяжело, — сказал он. — Без мамы плохо.

— Откуда ты знаешь? Твоя жива.

— Да. Но она меня не воспитывала. Они с отцом оба в спорте, вечно на сборах. Он со своими футболистами, она с легкоатлетками. Я теткин сын, если так можно сказать. Папина сестра мне была ближе всех. Мы с ней одного поля ягоды...

— Ботаники, алгеброиды?

— Точно. Но она нас «букварями» называла. Это сленг ее молодости.

— Твоя тетя умерла?

— В тридцать девять. Рак съел. А она так любила фразу из фильма «Москва слезам не верит» — «В сорок лет жизнь только начинается». И все ждала, когда разменяет пятый десяток.

— Почему ты мне раньше о ней не рассказывал?

— Не люблю я о грустном, понимаешь?

— И я не буду! — Алиса встряхнулась. — Все, я в порядке!

— Нет, если ты хочешь поговорить, то...

— Не хочу, — мотнула головой она. — Трапезничать желаю.

— Тогда расставляй приборы и садись.

— Овощи я так и не пожарила, — вздохнула Алиса.

— Если точнее, ты их даже не порезала, — улыбнулся Глеб. Затем открыл крышку сковороды и с удовлетворением констатировал тот факт, что спагетти не сгорели.

Тут запиликал телефон. Опять неясно, чей.

Алиса пошла на звук. Оказалось, звонят ей.

Это был Оскар. И он хотел, чтоб Алиса приняла участие в фотосессии для его журнала. Поговорив с ним, она вернулась в кухню.

— Ничего себе! — не сдержалась она, увидев, что стол уже сервирован. Крахмальные салфетки, по краям которых ножи и вилки, на них белые тарелки с золотым орнаментом, в центре стола блюдо со спагетти и маленькая вазочка с помидорами и паприкой — Глеб порезал и овощи.

— Кушать подано, садитесь жрать, пожалуйста, — процитировал Глеб героя «Джентльменов удачи».

Она благодарно кивнула и, занимая свое место, сообщила:

— Послезавтра у меня фотосессия для журнала «Модистка». Буду изображать невесту.

— Отличный повод выбрать себе платье.

— Я об этом же подумала. Но они хотят сфотографировать и тебя. А еще взять интервью.

— Исключено.

— Я знала, что ты откажешься, и сказала на это твердое «нет».

— Умница! — Он чмокнул Алису в щеку перед тем, как сесть.

— Я вообще не хочу афишировать раньше времени наши с тобой «посерьезневшие» отношения.

— Откуда тогда Оскар узнал, что мы собираемся пожениться?

— Я проболталась Элене.

— Что ж... Неудивительно. Она же твоя подруга.

— Завтра мы вместе с ней едем на похороны Сью. Ты с нами?

— Если смогу. Но не уверен — дел полно. — Он вооружился вилкой. — А теперь давай забудем о грустном. Это же наш вечер.

— Да, опять я съехала... — Алиса взяла свой фужер и отсалютовала им жениху. — За моего повара!

И залпом выпила вино.

Часть шестая

Глава 1
Алиса

Волосы уложены волнами.

Прозрачные, почти незаметные тени, яркая помада.

Телесного цвета белье.

Чулки с подвязками. Белые лодочки на «рюмочке».

— Алиса, вы готовы? — услышала она голос костюмера.

— Да.

— Тогда давайте одеваться...

К стоящей перед зеркалом Алисе подошла девушка с первым свадебным платьем. Оно пышное, подернутое розовой дымкой. Лиф из парчи. Юбка из перьев. Красивое, но какое-то уж слишком авангардное. Себе бы Алиса такое не купила.

Костюмер помогла ей одеться. Затянула корсет. Тут же ее сменил стилист, стал колдовать над образом. Навесил на шею какие-то бусы, сделанные из пенопласта и покрашенные перламутром. Волосы убрал от лица и скрепил их двумя деревянными спицами. Намотал на запястье проволоку. Все эти аксессуары выглядели ужасно в реальности, но на фото они заиграют.

— Помада не слишком яркая? — спросила Алиса у стилиста.

— Притушим, если что, при обработке, — ответил он. — А вот сережек не хватает...

Он подпер подбородок указательным пальцем и стал думать, чем украсить ее уши. Алисин инструктор по фитнесу, стодвадцатикилограммовый Самсон, сейчас дал бы ему по руке. Он ненавидел, когда люди его ориентации использовали вот такие, «гейские», жесты. Он считал, что мужик должен оставаться мужиком, вне зависимости от того, с кем он спит.

— Вы готовы или нет? — послышалось из-за двери. Алиса узнала голос Васко. — Мы уже заждались.

— Бежим, бежим, сладкий, — прочирикал стилист и прицепил на Алисины мочки клипсы с крупными жемчужинами.

— Перебор, — буркнула она, сорвав их.

И, не слушая возражений, прошагала к двери.

За ней ее ждали люди. Их было много. Но Алиса давно перестала обращать внимание на посторонних. Ее интересовали только фотограф, партнер (или партнеры в случае массовой съемки) да режиссер или креативный продюсер, если таковые имелись. На данный момент для нее существовали лишь двое: Васко и Дэн.

Ее партнер был облачен в дымчатый смокинг и розовую рубашку. Мощную шею обхватывала бабочка. Волосы подняты и зачесаны набок, тогда как обычно они спадали на лоб. Алиса не думала, что Дэну пойдет классический стиль, казалось, он создан для спортивного.

— Я в восхищении, — шепнул он ей на ухо. — Ты неотразима.

— Спасибо, — скупо улыбнулась Алиса. Она адаптировалась на новой площадке и не хотела отвлекаться.

— Только вот эти грузила мне не нравятся, — он указал на бусы. — Тебе не тяжело? Шею не натирает?

— Они из пенопласта.

— Да ладно? — он коснулся одного из посеребренных шариков. — Надо же. И правда...

К ним подбежал стилист. Расправил платье Алисы, поправил бабочку Дэна. Отойдя, взглянул на «молодых», не забыв приложить оттопыренный палец к подбородку.

— Перфекто! — выдохнул он, закатив глаза.

— Чего? — не понял Дэн.

— Идеально, — подсказала Алиса. — Это по-итальянски.

— Лишние из кадра вон! — разнесся по студии голос Васко. И когда стилист удалился, крикнул: — А теперь поехали!

И съемка началась.

Спустя четыре часа Алиса упала на диван и простонала:

— Пить!

Ей тут же принесли воды.

Дэн, плюхнувшийся рядом, отобрал у нее бутылку после того, как Алиса сделала несколько глотков.

— Это всегда так?

— Что — это? И как — так? — Она скинула с ног лодочки и пошевелила пальцами. Затекли! Что не удивительно, туфли были ей маловаты.

— Съемки для журналов всегда так утомительны?

— Сегодня мы на легкой работе. Сколько перерывов! В том числе обеденный.

— Нам дали кофе и бутерброды.

— А ты хотел фуа-гра и «Дом Периньон»?

— Не знаю, что это. Но я бы попробовал.

— Опять же, на натурную съемку не выезжали. А сделали кадры во внутреннем дворике. — Пара нарядов была дополнена меховыми накидками, и чтобы показать их в самом выигрышном свете, пришлось снимать на улице.

Она протянула руку. Дэн сунул в нее воду.

— Я хотела, чтоб ты помог мне подняться! — усмехнулась Алиса.

— Пардон, мадам.

Он вскочил, чтобы сделать это, но Алиса уже сама поднялась. Хотелось скорее разоблачиться. Последнее платье оказалось крайне неудобным. Оно обтягивало все тело, расширяясь лишь книзу. Такой фасон назывался «русалка». Алиса терпеть его не могла. На фото смотрится красиво, но ходить в подобных платьях невозможно. Да и сидеть проблематично. Она сочувствовала тем актрисам, которые выбирали для церемоний русалочьи наряды. А уж на свадьбу такое надеть она бы не согласилась, даже если бы ей приплатили.

Вообще за сегодняшнюю сессию она сменила семь платьев. И ни одно ее не устроило стопроцентно. Впрочем, как и Глеба. В каждом наряде она фотографировалась на телефон и отправляла снимки жениху. Он вроде бы хвалил все, но Алиса понимала, он хочет видеть ее в чем-то другом.

— С тобой легко работать, — сказала она Дэну перед тем, как скрыться за дверью помещения, оборудованного под ее гримерную. — Не скажешь, что новичок.

— Спасибо. Но я без тебя не справился бы. Ты как-то очень хорошо на меня влияла.

— Все бы у тебя и без меня получилось. Думаю, тебе стоит заняться модельным бизнесом. — Она помахала ему. — Все, чао! Ой, нет, ауфидерзейн.

И скрылась за дверью.

Первое, что сделала, оказавшись в одиночестве, так это разоблачилась. Скинула с себя «русалочью чешую» и облегченно выдохнула. Душа в гримерке не было, только раковина, и пришлось принимать водные процедуры в некомфортных условиях. Сполоснувшись, Алиса сразу оделась. Можно было полежать, отдохнуть, накинув халат. Но она не то чтобы спешила... Просто ей хотелось сменить дислокацию.

Алиса собралась и направилась к выходу, как столкнулась в дверях с Дэном. Он, одетый в привычные спортивные шмотки, заглядывал в студию.

— Хорошо, что ты еще не ушла, — обрадовался он. — Я за тобой. Хотел пригласить куда-нибудь.

— Ой нет, спасибо, откажусь.

— Скажешь, не проголодалась?

— Не особо.

— Тогда просто посидим, попьем кофе, чая.

— Дэн, ты ко мне подкатываешь, что ли?

— Я бы употребил другое слово, это мне как-то не очень нравится. Скажем, я проявляю к тебе симпатию.

— Я помолвлена.

— Слышал.

— И тебя это не останавливает?

— Я же тебя не в койку тащу. Просто предлагаю вместе посидеть где-нибудь. Ты мне очень нравишься, я хотел бы провести с тобой какое-то время...

— Незачем, — отрезала она и, обойдя Данилу, зашагала по коридору к выходу из здания.

В сумке зазвонил телефон. Алиса остановилась, чтобы достать его. Дэн тоже замер. Привалившись к стене своей мощной спиной, смотрел, как она роется в сумке и достает сотовый.

— Привет, милый, — поздоровалась она со звонившим ей Глебом. Специально обратилась к нему так, чтоб Дэн понял, с кем она начала диалог, и ретировался. Но он и не подумал двигаться с места.

— Привет. Как съемка?

— Отлично. Уже закончилась.

— Это радует. Потому что я тоже освободился и могу прямо сейчас выдвинуться в твою сторону. Если подождешь минут сорок, я тебя заберу.

— Хорошо, подожду.

— В той кофейне, что рядом с агентством?

— Да, пожалуй. У Элены бы посидела, да ее нет на месте.

— Тогда до встречи.

— Целую.

Закончив разговор, Алиса вернула телефон в сумку.

— Звонил счастливчик Пашка?

— Кто?

— Жених.

— Его Глебом зовут.

— Не важно. Помнишь, как Пугачева пела? «Счастливчик Пашка... оооо... счастливчик Пашка!»

— Она про любимчика пела, — не сдержала улыбки Алиса.

— Точно. Но все равно подходит. Ведь он твой любимчик. А значит — счастливчик, — не растерялся Дэн. — Так что, выпьем кофе? Ты же в то заведение собралась, где мы с тобой сидели?

— Ладно, пошли. Только платит каждый за себя.

— Не пойдет, — упрямо мотнул головой он. — Я приглашаю, я плачу.

— А если тебя...?

— Все равно плачу, если иду с женщиной. Когда нечем, отказываюсь от приглашения.

Они вышли из здания, проследовали к кофейне. Столик, за которым они сидели до этого, пустовал, и Дэн направился к нему.

Они уселись. Когда подошла официантка, Дэн сделал заказ: Алисе кофе и черничный кекс, себе бизнес-ланч и молочный коктейль.

— Точно есть не хочешь? — спросил он, откладывая меню.

— Точно.

— Ты на диете?

— Если б была, разве позволила бы себе кекс?

— Да он же крохотный.

— Зато калорийный. И на обед я съела два бутерброда. В общем, не голодна.

— Ты похудела.

— Знаю.

— Специально?

— Нет. Это все нервы. Хочу немного поправиться.

— Странно слышать это от модели.

— Вот такая я странная модель, — улыбнулась Алиса. — Мне кажется, небольшое количество сальца женщину только украсит.

— Нина считает так же. Поэтому переживает из-за того, что похудела.

— Как она, кстати?

— Нормально. Вроде мужика какого-то завела.

Вернулась официантка. На подносе чай, кекс и коктейль.

— А где мои суп, салат и булочка с кунжутом?

— Подождите пять минут, пожалуйста.

— Умоляю, принесите хотя бы булочку, — простонал Дэн. Барышня не смогла отказать столь очаровательному молодому человеку и притащила корзиночку с хлебом — в ней его было сразу несколько сортов.

— Приятного аппетита, — проворковала она, стрельнув глазками.

— Ты нравишься женщинам, — вслух отметила Алиса, дождавшись, когда официантка удалится.

— Да, только обычно не тем, кому хотелось бы. — И посмотрел на нее со значением.

— Я к тому веду, что тебе надо заняться модельным бизнесом. Знаю, что повторяюсь. Я уже говорила тебе об этом. Но сейчас уже со стопроцентной уверенностью. Тебя любит и камера. Она, на минуточку, тоже женского пола.

— Мне Васко сказал то же самое. Но я как-то никогда не рассматривал профессию модели. Не мужская она какая-то. Я, кстати, тоже повторяюсь. Вроде я уже делился с тобой этим своим мнением. Или нет?

— Ерунда. Нет мужских или женских профессий. Надо заниматься тем, что у тебя хорошо получается.

— И что доставляет радость, так говорила Коко.

— Я по ней безумно скучаю...

— И я... — Лицо Дэна помрачнело. — Когда девятый день? Помянуть надо будет.

— Мне — еще и Сью. Я вчера еще и на похоронах ее была. Так тяжело! Ее мать на гроб бросалась, потом давай в могилу рваться. Еле удержали, чтоб она не сиганула.

— Пьющая? — сразу догадался Дэн.

— Да. Но не сказать, что алкашка. Самое ужасное, что хочет сейчас на смерти дочери заработать. Уже в газеты, что ее посмертные фото напечатали, позвонила. Требует денег. И желает дать интервью за дополнительные. Якобы на памятник дочке. Я хотела дать ей на него, но Элена отговорила. Сказала, та их пропьет, и лучше мне самой заказать надгробие.

— Правильно сказала. Она вообще тетка мудрая. А вот сын ее мне показался дурачком.

— Нет, Оскар далеко не дурак.

— Он не гей?

— Нет.

— Точно?

— Сто процентов. А что?

— Просто боюсь, как бы его интерес к моей персоне не имел сексуальной подоплеки. Вдруг он мне работу предложил, мечтая о том, чтоб... Ну, сама понимаешь.

— Оскар в этом смысле безопасен. Я даже не о том, что он гетеро. Просто никогда не пользовался своим служебным положением, чтобы кого-то в постель затащить. Та же Сью обещала ему свою благосклонность в обмен на контракт, но Оскар корректно ей отказал.

— Вроде она должна была сниматься сегодня?

— Да.

— Так, может, не отказал все же?

— Сью, как оказалось, вела с ним переписку с моего ящика. То есть сначала со своего. Но получила отказ. Тогда она моим воспользовалась, так как на ее письма Оскар уже не отвечал. И он согласился дать Сью работу, но никакой благодарности не потребовал. Более того, категорически от нее отказался. Полицейские проверили переписку.

Наконец Дэну принесли долгожданный бизнесланч. От супа-пюре пахло грибочками, от салата «Цезарь» — жареной куриной грудкой.

— Что, соблазнилась? — хмыкнул Дэн, видя, как Алиса поводит носом.

— Вкусно пахнет. Но есть я все же не хочу.

— Кусочек? — Он нанизал на вилку курочку и протянул ей. — Так, чисто полакомиться.

Она взяла свою вилку и своровала с его тарелки другой кусок и половинку помидорки черри. Попробовав, сказала:

— Вкусно. — И без перехода, ни с того ни с сего заявила: — Мне кажется, за мной следят.

— Кто?

— Не знаю. Кто-то.

— Когда ты это заметила?

— Давно. Месяц как... или больше. За мной как будто кто-то наблюдает издали. Не всегда. И не везде. За границей я этого не ощущаю.

— Может, поклонник какой за тобой ходит?

— Глеб предположил то же самое. И я допустила это. Но в свете последних событий...

— Ты говорила об этом полицейским?

— Нет. Это же не факт. Думаю, у меня просто расшатаны нервы. Я без нормального отдыха пашу уже несколько лет.

— Возможно. Но как ты сама заметила... в свете последних событий...

Алиса уже не рада была тому, что завела разговор на эту тему. И тут, как спасение, зазвонил телефон. Это Глеб желал поговорить с Алисой:

— Я почти на месте, — услышала она его голос. — Домчался неожиданно быстро. Ты в кофейне?

— Да.

— Минут через пять выходи.

— Хорошо.

— Хотя нет, дождись меня там. Я умираю, хочу крепкого чая.

— Заказать?

— Будь добра.

Отсоединившись, Алиса подозвала официантку. Заказала чай.

— Счастливчик Пашка звонил? — улыбнулся Дэн.

— Он самый.

— Ничего, что ты с мужчиной? Не ревнивый он?

Алиса покачала головой. Глеб на самом деле никогда не выказывал недовольства по поводу того, что она общается с представителями противоположного пола. Но, надо сказать, поводов для ревности Алиса и не давала. Обычно, если она и проводила время с кем-то из мужчин, то это были или ребята нетрадиционной ориентации, коих в их модельном мире было большинство, или чьи-то вторые половинки, а для Алисы, Глеб знал это, чужие избранники существовали только в качестве приятелей.

Дэн съел суп и почти расправился с салатом, когда в кофейню зашел Алисин жених. Чай уже ждал его.

— Здравствуйте, — поприветствовал он сидящих за столом. Алису чмокнул в щеку, Дэну протянул руку для пожатия. — Я вас узнал, вы были на похоронах Коко.

— Да. Меня зовут Данила.

— Очень приятно. Глеб.

— Знаю... — Он чуть отвернулся от него и проартикулировал Алисе с вопросительной интонацией: «Не Пашка?!» Она пнула его под столом ногой.

— Отличный чай, — заметил Глеб, отхлебнув. — Не знал, что ты тут не одна.

— Мы с Дэном вместе работали. Он изображал моего жениха.

— О...

Алисе казалось, или Глебу было не очень приятно это слышать. Неужели он не так беспристрастен, как она думала?

— Все, я напился, — выпалил он. — Пойдем. — Достал из кармана бумажник, вынул из него банковскую карточку.

— По счету уже заплачено, — бросил Дэн, вставая.

— Сколько с нас? — спросил Глеб, открыв отделение с купюрами.

— Давайте не будем мелочиться.

— Это не самое дешевое заведение, так что...

— Глеб, — одернула жениха Алиса. — Перестань. — И уже Дэну: — Спасибо за компанию, чай, кофе и кусочек курицы.

— Тебе спасибо. До свидания.

И первым покинул кофейню.

— Что это было? — сердито спросила Алиса у Глеба.

— Что — это?

— Вот сейчас. Сцена ревности?

— Ты же знаешь меня, я не ревнив.

— Да, мне всегда так казалось, но...

— Я просто не хочу, чтоб к тебе кто-то лез.

— Дэн ко мне и не лез. Вел себя исключительно по-джентльменски. И если бы он попытался, как ты выразился, полезть ко мне, я дала бы отпор...

— Я не про трусики твои говорю, — поморщился Глеб, — а про душу. Ты сейчас очень уязвима, и этим могут воспользоваться.

— Спасибо за беспокойство, конечно, но...

— И если до конца быть откровенным, мне не хочется, чтоб ты имела в друзьях сногсшибательных гетеросексуальных мачо.

— Значит, все-таки ревнуешь.

— Немножко.

— Хорошо, что признался. — Она взяла жениха под руку. — Но спешу тебя заверить, я равнодушна к мужской красоте.

— Как? — притворно ужаснулся Глеб. — Так ты полюбила меня не за нее?

Они вышли из кофейни и направились к парковке возле агентства, именно там Глеб поставил свой «Мерседес», так как та, что принадлежала заведению, была вся заставлена автомобилями.

— Ты поговорила с Оскаром? — спросил Глеб, доставая из кармана ключи от машины.

— Насчет того, чтобы ничего не писал о предстоящей свадьбе?

— Да. И о помолвке тоже.

— Но мы по телефону это обсудили, и он...

— Алис, надо напомнить. Что-то Оскар в последнее время чудит.

— Хорошо, давай я позвоню ему сейчас.

— Лучше зайти.

— А почему ты так боишься, что эта информация просочится в прессу? Рано или поздно это все равно произойдет.

— Пусть поздно. Я что-то суеверным стал. Боюсь, как бы не сглазили.

— Пойду к Оскару.

— Я провожу.

И они направились к дверям агентства.

Глава 2

Васко

Фотосессия удалась! Васко был доволен как никогда.

Редко бывает так, чтоб все идеально сложилось: и модели друг с другом легко контактировали, и стилист под ногами не мешался, и ассистент четко выполнял указания.

Васко, конечно, устал. Уже не мальчик, чтоб полдня на ногах провести. Но усталость была приятной. Когда ты удовлетворен результатом работы, остальное не имеет большого значения. Как-то он, помнится, со скалы съехал на пузе. Желая запечатлеть горный цветок в свете заката, оступился и ухнул вниз. Руки в кровь содрал, футболка — в лоскуты, на животе ссадина, зато какие кадры! Он, когда вниз катился, не переставал фотографировать!

Васко стянул с ног ботинки и, задрав ноги кверху, стал ждать, когда отольет кровь и они гудеть перестанут. Сидя так, он попивал чай и смотрел фотографии. Хороши! Даже без редактирования. Причем новичок Дэн смотрится даже лучше профессионалки Алисы. Хотя чему удивляться? Ему ТОЛЬКО двадцать шесть, а ей УЖЕ...

В верь постучали.

— Открыто! — крикнул Васко.

На пороге студии возник Максим, парень, что сегодня ассистировал ему.

— Просили зайти, и вот он я, — отрапортовал он.

— Как тебе сегодня работалось?

— Отлично.

— Ты ведь не фотограф, верно?

— Нет. Я журналист. Работаю в «Модистке» репортером светской хроники. Хочу фотографию еще освоить. Чтоб самому и снимки делать.

— Не хотел бы пойти ко мне в ассистенты? Я многому мог бы научить тебя.

— Я с радостью!

— Тогда возьми номер моего телефона, — Васко протянул визитку. — Позвони вечерком, все обсудим. Только у меня одно условие — ты должен освоить фотошоп.

— Легко.

— Тогда до связи.

Максим радостно кивнул и унесся.

А Васко вернулся к просмотру фотографий, но быстро закончил это занятие. Его отвлекали мысли о бывшем ученике... Леше.

В тот вечер он, конечно, здорово его напугал! Набросился, сбил с ног... Васко думал, все, конец ему. Особенно когда Леша его за шею схватил. Но тот, сжав пальцы на миг, тут же ослабил хватку, упал на землю рядом с Васко и заплакал.

— За что ты со мной так? — всхлипнул он.

Васко на всякий случай отполз от него подальше и только после этого спросил:

— Как — так?

— По-скотски.

— То есть я должен был тебя покрывать?

— Ты не должен был меня подставлять! — вскричал парень. — Зачем ты сфабриковал против меня улику? Чтоб отвести подозрение от себя? Так, значит, это ты?.. Ты убил Сью! — И выбросил руку вперед, желая схватить Васко, но тот был наготове.

— Не убивал я твою Сью! — воскликнул он, пнув Алешу по кисти. — И не фабриковал никакой улики. Фотографии были на твоей флешке. Я только передал ее полицейским.

— Не может этого быть! Не было на ней никаких фотографий. Кому это знать, как не мне?

Васко поднялся на ноги, отряхнулся.

— Ты отдал свою флешку той тетеньке в мехах, она принесла ее, я посмотрел...

— Стоп-стоп! Ничего не понял.

— Помнишь клиентку в норковой шляпе и шубе из чернобурки?

— Конечно.

— Ты скинул ее фотографии на карту памяти, так?

— Да. Как обычно.

— Но отдал по ошибке не ее, а свою. Бросил, видно, в стол, а потом не ту достал.

— Нет. Я прекрасно помню, что вынул ее из разъема и передал лично в руки тетеньке в мехах.

— Она мне так сказала.

— Ты поверил незнакомой бабе?

— У меня не было оснований ставить ее слова под сомнение.

— Ты хотя бы полицейским сказал о том, при каких обстоятельствах к тебе попала флешка?

Васко покачал головой. Леша с рыком вскочил и бросился к нему, но тот не позволил парню приблизиться, толкнул в плечо. Возможно, он и годится Лешке в деды, да только силы в нем поболе будет. Как-никак бывший спортсмен. Да и в массе превосходит.

— Угомонись, а? — попросил Васко. — Давай спокойно поговорим.

— Не осталось во мне спокойствия, понимаешь? Меня как преступника преследуют. А я, между прочим, ни в чем не виновен. Меня подставили!

— Кто? Эта бабища, что ли? Меховой стог? Зачем ты ей сдался?

— А если это она убийца?

— Да не смеши меня, — фыркнул Васко.

— Ключ от студии пропал после ее визита. И она ни разу не сняла перчаток, когда заходила. Значит, отпечатки боялась оставить.

— Если ты прав, то следствию несказанно повезло. У нас есть ее телефон. И она сказала, что живет поблизости.

— Наивный. Если она убийца, то звонила с чужого телефона, а о близости своего дома к студии наврала.

— Но фотографии остались. Это тоже хорошо.

— Да. Это хорошо. Вот только на всех она в шубе, шляпе, перчатках. Лица и не видно практически. — Он сунул руку в карман, потом чертыхнулся. — Я ж телефон выбросил, чтоб не запеленговали меня по нему. Хотел набрать номер этой тетки (она, кстати, Ксенией представилась, я помню), у тебя его не сохранилось?

— Я с ней ни разу не разговаривал. Ты ее нашел.

— Она нас. Зашла в офис, когда я там находился. Спросила, сможет ли сделать фото прямо сейчас. Я как раз свободен был. Ну и не отказал.

— Я позвоню следователю сразу, как приеду домой. Все расскажу.

— Обещаешь?

— Я бы прямо сейчас это сделал, но у меня телефон сел. — Он продемонстрировал погасший экран своего «Верту». — Все, Леша, пошел я. А то благодаря тебе у меня задница сырая.

Тот еще что-то пытался говорить, но Васко не хотел его слушать. Он не верил ему! Поэтому не собирался звонить Вернику.

... Дверь студии снова распахнулась. Теперь по душу Васко явилась секретарша Оскара.

— Вас там хотят видеть, — бросила она, на миг оторвав взгляд от экрана телефона, в который пялилась при любом удобном случае. Как большинство молодых девушек, она торчала на социальных интернет-сайтах, выставляя свои фотографии и комментируя чужие.

— Оскар?

— Он и еще мужик какой-то.

— Что за мужик?

Девушка пожала плечами, затем скрылась. Васко сунул ноги в ботинки и пошлепал вслед за ней.

Зайдя в приемную Оскара, он увидел мужчину, стоящего спиной к двери. Услышав шаги, он обернулся. И Васко просиял, увидев его лицо.

Они были давно знакомы... Лет двадцать пять, не меньше.

И столько же не виделись.

Но Васко мгновенно узнал Рината.

— Ты не меняешься! — воскликнул он, протянув руку для приветствия.

— Ты тоже, — хмыкнул он, пожав ее.

— Узнал, да?

— Конечно. Ты Васко.

— А ты Ринат.

Они в унисон рассмеялись.

Васко и Ринат познакомились на крупном мероприятии, которое запечатлевали на фотокамеры для разных изданий, и мгновенно поладили. Оба выбрали лучшее место для съемок и мешали друг другу. Но вместо того чтобы повздорить, решили распить на пару бутылочку коньяка. А когда все закончилось, завалились в кабак и познакомились по-настоящему.

— Теперь ты мой татарский брат, — говорил Васко, еле ворочая языком.

— А ты мой югославский, — вторил ему Ринат.

— Хорватский, прошу не обобщать!

Их дружба была скоротечной, но очень доброй. Где-то полгода мужчины поддерживали тесные отношения, но потеряли друг друга, когда Ринат вновь воссоединился со своей женой, от которой периодически уходил, уставая терпеть ее властный характер. Супруга как-то сразу взяла его в оборот, лишила привычного круга общения, и контакт между «братьями» потерялся.

— Как ты жил все эти годы, черт ты татарский? — спросил Васко, не сдержавшись и обняв Рината.

— Хуже, чем ты, судя по этому... — И цапнул старого приятеля за мясистый бок. Сам он оставался таким же худым, как и раньше. — Но лучше, если посмотреть на это... — Он шлепнул себя по лысине. Когда-то у него были великолепные смоляные кудри. — Оставил на чужих подушках! Понимаешь?

— Развелся-таки со своей благоверной? Как там ты ее называл? Товарищ Сталин?

— Мы с Иосифом Виссарионовичем до сих пор вместе. Но мне это не мешало мстить ему за всех репрессированных.

К ним подошел Оскар.

— Как я понял, представлять вас не надо, — проговорил он с улыбкой.

— Да, мы старые кореша, — подтвердил Ринат. — Четверть века знакомы.

— Ты уже тогда специализировался на свадебных фото?

— Нет. Я тогда больше передовиц производства снимал. Прибыльное и непыльное дело, скажу тебе. Но как Союз стал разваливаться, пришлось переквалифицироваться.

— У Рината коллекция свадебных фото, — сообщил Оскар Васко. — Шикарнейшая, скажу я тебе. Больше двадцати лет собирал. Вот, хотим отобрать несколько снимков для свадебного выпуска журнала.

— Отличная идея, — одобрил Васко.

— Поможешь?

— Конечно.

И они втроем отправились в кабинет Оскара.

«Братья» устроились на кожаном диване и потребовали коньяка. Васко знал, что у Оскара имеется бутылочка «Арарата». Да не паленого, а настоящего. Привезенного из Еревана кем-то из сотрудников. Сын не пожадничал, выставил его на стол и попросил секретаря принести фруктов на закуску и себе чаю — он не употреблял.

Ринат достал из сумки папку с фотографиями.

— Я лишь часть своей коллекции захватил, — сказал он. — Отобрал снимки вашего формата.

— А какие еще есть?

— Ой, да разные. Смешные, грустные, даже страшные.

— Страшные? — переспросил Оскар. — В смысле, молодые такие безобразные внешне?..

— Нет. В буквальном смысле — страшные. Без драк редкая свадьба проходит. А бывают и с поножовщиной.

— Брр, — передернулся сын.

— Есть у меня даже папка с мертвецами.

Оскар сделал большие глаза.

— Как-то снимал свадьбу, на которой молодые разбились на машине. И свидетели вместе с ними. Плюс водитель. Ехали после регистрации цветы возложить к памятнику и...

— Все, хватит о грустном, — оборвал его Васко. — Мы поняли, какие кадры в папке с мертвецами. Хорошо, что ее не прихватил. — Он подтолкнул бокал к Ринату. — И давай уже выпьем!

— Так закуски еще нет.

— А ты будто без нее не пил никогда!

Он поднял бокал, чтобы чокнуться с Ринатом.

— За встречу, — сказал тот, последовав примеру Васко.

Пригубив коньяк, «братья» принялись раскладывать фотографии на низком столике, стоящем перед диваном. Чтобы бокалы не мешали, они убрали их на подлокотники.

— Сколько нужно снимков? — спросил Васко.

— Минимум пять, максимум восемь, — ответил Оскар.

В кабинет вплыла секретарша с подносом, поставила его, куда велели, и выплыла. Ринат проводил девушку взглядом бывалого плейбоя и цокнул языком:

— Хороша. Обожаю смотреть на таких пав.

— На кого? — переспросил Оскар, как и в случае с «цуциком», не понявший значение слова.

— «Выступает, словно пава...» — припомнил Васко строчку из произведения Пушкина. Блеснул, так сказать, эрудицией. — Значит, величественно ходит, так?

— И плавно! — Ринат кивнул своей лысой головой и взял с подноса яблоко. — А вообще пава — это самка павлина.

— Надо будет сказать Светке, — улыбнулся Оскар. Светой звали его секретаршу. — А то она обижается на своего парня за то, что он ее курицей обзывает. Пусть поправит его и настоит на обращении «пава».

Тем временем Васко выбрал из десятка фотографий одну совершенно потрясающую. На ней супруги целовались под огромным зонтом, который держал над ними свидетель, сам весь вымокший под дождем.

— Вот классный кадр! — сказал он, показав снимок сыну.

— Да, мне тоже нравится. Отложи.

— А этот? — Ринат продемонстрировал портрет жениха, стоящего у зеркала. Но отражалась в нем невеста.

— Клише. Категорически нет.

— Зато в духе того времени.

Оскар покачал головой. Ринат, насупившись, отпил коньяк и вгрызся в яблоко.

— Будешь у Светки телефон брать? — полюбопытствовал Васко.

— Нет.

— Что, не уверен в своих силах?

— Ха! — Он еще раз откусил от яблока, и брызнувший сок попал Васко в глаз. Тот за это двинул старому другу локтем в бок. — Просто эти павы в постели так же величавы и плавны, как и вне ее, а еще ленивы и неизобретательны. А мне зажигательные барышни нравятся...

— Вот, суперснимок! — Васко схватил черно-белую фотографию, на которой была изображена невеста. Она полулежала на диване вся в облаке кружевной фаты. Она струилась по плечам, спускалась до полу. А так как женщина была повернута к камере боком, то фата закрывала и часть ее лица.

— Нет, этот снимок не супер, — мрачно проговорил Ринат, отобрав его у Васко. — Не знаю, как он вообще сюда попал.

— Можно взглянуть? — Оскар протянул руку. Получив снимок, он согласился с Васко. — Правда, волшебно. А свет как красиво попадает на лицо через дырочки в кружеве. Невеста на спящую красавицу в стеклянном гробу похожа...

— Вот именно. Ассоциация у тебя верная. Невеста похожа на спящую красавицу в хрустальном гробу. Только она, в отличие от сказочной, не проснется от поцелуя принца. Мертвая она.

— То есть фотография из той «страшной» папочки?

— Да.

— Отчего невеста умерла? Ран не видно.

— Задушили ее. Фатой.

— Кто?

— Муж.

— Ужас какой...

— Да уж. Я зашел, увидел невесту, решил, утомилась, задремала... Сфотографировал ее, не зная, что мертвая.

— Это единственный снимок?

— Пленка до сих пор хранится у меня. Думал, может, родственники покойной захотят что-то напечатать, но нет. Я только несколько кадров распечатал для коллекции своей. Есть один просто душераздирающий. На нем дочка покойной за ноги мать обнимает и смотрит ей в лицо, ожидая, когда мать обратит на нее внимание... — Он еще выпил. До дна. И тут же плеснул в бокал еще коньяка. — Никогда я этого не забуду. Вбегает ребятенок, хорошенький, точно ангелок, да в платье до полу. К матери бросается, дергает ее, трясет, пищит чего-то... И тут она раз... И на бок сваливается! — Ринат изобразил. — Ребенок в крик. Я чуть камеру не роняю — дошло до меня, что невеста мертва...

— А муж где был в это время?

— Вешаться побежал. На ремне собственном. Но вынули из петли, скрутили.

— За что он ее? — спросил Васко, не отрывая взгляда от фотографии. Еще один посмертный лук. Но этот не пугающий. Быть может, из-за того, что фото черно-белое? Или просто у покойницы прикрыты глаза веками?

— Я точно не знаю. Вроде что-то с крышей у него было не в порядке. Съехала на время, а так он не псих. Мне вообще понравился. Я его хорошо запомнил.

— Его на фото нет? Интересно было бы посмотреть.

— Есть. Они втроем. Жених, невеста и девочка. Я так понял, она от предыдущего брака. Молодые ей блюдце подают, на котором верхушка торта, украшенная лебедями.

— Покажешь?

— Да не вопрос! Ко мне можем потом поехать. Товарищ Сталин как раз в отъезде — умотала с подружками во Вьетнам пузо греть на солнце...

— Может, займетесь уже тем, для чего тут собрались? — обратился к «братьям» Оскар. — А потом обсудите все остальное. Итак, что из коллекции публикуем?

— Этот снимок не дам, — заявил Ринат. — У меня насчет этого строгие моральные принципы.

— Да я и не собирался. Хватит с меня посмертных фото.

— В них, кстати, ничего аморального нет, — возразил Ринату Васко. — Покойников всегда фотографировали. А до того, как фотография появилась, рисовали. Сколько есть посмертных портретов!

— Да, я сам видел мертвых знаменитостей: Маяковского, Монро, Джексона. Про Ленина вообще молчу. Его до сих пор снимать можно.

— А разве простых людей не запечатлевают? У нас в деревне всех покойников в гробах фотографировали. На память.

— Я вообще читал, — подхватил Оскар, — что на заре фотографии в Англии была традиция снимать усопших таким образом, чтоб они живыми казались. Во многих домах висели портреты членов семьи, сделанные посмертно. А то и групповые фотографии. Родственники окружат труп, придержат, чтобы он не падал, и позируют.

— Ужас! — вскричал Ринат. — Отстаньте уже от меня с этой темой. Меня мороз пробирает уже... — Он схватил одно из фото. — Вот это лучше обсудите! — Он потряс им в воздухе. — Как вам?

— Дай, посмотрю.

Васко глянул на снимок. На нем две девушки держали под руки мужчину. Обе были в белых платьях, тогда как их кавалер — в костюме пожарного.

— Шведская семья пришла в ЗАГС сразу после тематической оргии? — хмыкнул Васко.

— Дурак, — упрекнул его Ринат. — В ЗАГСе пожар возгорелся. Парень приехал тушить.

— Классный кадр! Жаль, не для модного журнала.

— Почему нет? — возразил Оскар. — Думаю, отлично впишется в концепцию...

Он наклонился над столом, чтобы взять уже одобренные фотографии, как дверь распахнулась и в кабинет вошла Алиса.

— Извините, если помешала, — сказала она. — Но мне нужно, Оскар, с тобой поговорить...

— Сейчас?

— Да.

— Они помешают? — он указал на «братьев».

— Нет.

— Тогда присаживайся.

Алиса опустилась на диван рядом с Васко.

— Не желаете коньяку? — тут же оживился Ринат.

— Нет, спасибо, — ответила она. — Оскар, я хочу убедиться в том...

— А виноградику? — не отставал престарелый плейбой. И протягивал гроздь винограда.

Алиса, не поворачивая головы, отодвинула от себя его ладонь и продолжила:

— Хочу убедиться в том, что никакой информации о моей предстоящей свадьбе в журнале не будет.

— Мы же договорились.

— На случай, если ты захочешь нарушить свое слово, знай: я подленько и мерзопакостно отомщу.

— Алиса, я тебя не узнаю.

— А я тебя! То, что ты напечатал посмертное фото Коко, для меня шок. Поэтому я сейчас тебя и предупреждаю...

— Вам фотограф свадебный не нужен, любезнейшая? — перегнулся через колени Васко Ринат. — Я лучший в этом деле. Если не верите, убедитесь. — И подвинул к Алисе фотографии. — Все работы — мои.

Она опустила глаза. Пробежала ими по фото. Заинтересовалась, судя по взгляду.

Тут дверь снова отворилась. На сей раз на пороге возник Глеб.

Алисин жених, как всегда, безупречно выглядел: гладко выбрит, хорошо причесан, респектабельно одет. Он был из породы тех мужчин, в которых... эта самая порода чувствуется. Васко немного таким завидовал. Ему самому иногда изменяло чувство меры, и он дополнял свой образ какой-нибудь лишней деталью. Или перебарщивал с парфюмом. А порой геля слишком много на волосы наносил. И всем становилось понятно — он очень старался прихорошиться. А такие, как Глеб, без усилий отлично выглядят. Даже в небрежности их облика есть шарм. А в лаконичности отсутствует скука. Например, сегодня Глеб был одет в вельветовые джинсы песочного цвета и коричневую куртку с меховым капюшоном. Обычные вещи, полуспортивный стиль, неброские и немодные в этом сезоне цвета, а все равно выглядит респектабельно и стильно.

«А может, мне просто кажется? — спросил себя Васко. — Что все это без усилий? А на самом деле Глеб, как и я, торчит перед зеркалом часами? Просто он боится рисковать, вот и выбирает для себя простые вещи в непростых, дорогих, магазинах. Доверяет вкусу хороших дизайнеров. И Алисиному. Прическу сменить она ему подсказала...»

Он бы и дальше размышлял на эту тему, если бы не услышал возглас Алисы:

— Откуда это у вас?

Васко повернулся к ней, чтобы посмотреть, о чем она, но на вопрос девушки уже отвечал Ринат:

— Это из моей коллекции свадебных фото.

Он попытался отобрать у Алисы фото, потому что это было ТО САМОЕ, из страшной папки, но она вскочила и бросилась с ним к Глебу.

— Это моя мама! — воскликнула она. — Жаль, что и тут не видно лица... — Алиса обернулась к Ринату. — А есть у вас еще снимки с той свадьбы?

Он мрачно посмотрел на Васко. Не знал, что говорить. Глеб, заметив его взгляд, насторожился:

— В чем дело? — спросил он Рината.

— Даже не знаю, как вам сказать... — Он снова замялся. — Девушка, вы в курсе, как умерла ваша мама?

Алиса неуверенно кивнула.

— И как?

— Она разбилась на машине вместе с мужем.

— Я так и думал, что вам не сказали правды. А вы, судя по всему, забыли, что случилось с матерью на самом деле... — Он похлопал по дивану. — Садитесь, я расскажу вам.

Глава 3
Элена

Она давно так сладко не спала. У Элены вообще с Морфеем[1] были давние счеты. Когда у нее началась менопауза, он ее из совы превратил в жаворонка. А так как она за пятьдесят с лишним лет привыкла поздно ложиться и вставать, то не слушала позывов организма и продолжала вести привычный образ жизни. За это Морфей отомстил ей, и какое-то время Элена вообще спать не могла — три-четыре часа не в счет. Но после курса терапии смогла войти в нормальный режим. Вот только полностью расслабиться все равно не получалось. И красочных снов Элена почти не видела.

Сегодня она пробудилась с мыслью, что Морфей наконец-то простил ее и одарил своей милостью.

Сладко потянувшись, Элена повернулась на бок. Она хотела обнять того, кто помог ей так чудесно выспаться, но место рядом с ней пустовало.

Элена рывком села, огляделась. Ни одежды, ни телефона, что лежал на тумбочке. Все исчезло. Даже запах выветрился. Что поделать, Миша не пользовался одеколоном, только лосьоном после бритья, который очень нестойкий.

---

[1] Морфей — бог сновидений в греческой мифологии.

Опять сбежал?

На сей раз получив не только поцелуй...

Элена бросила взгляд на свое отражение в зеркале стоящего напротив кровати шкафа-купе.

Лицо помято. Волосы растрепаны. Бретелька шелковой ночной сорочки сползла, чуть оголяя грудь, и видно, что она уже не так упруга, как когда-то. Нет, Элена даже с утра не походила на старую ведьму. Она знала это. Уж чего-чего, а самокритичности ей было не занимать. Но и на сорок пять не тянула. Наверняка Миша проснулся, посмотрел на нее, спящую, и ужаснулся.

А она тоже хороша! Как можно позволять себе расслабиться рядом с молодым мужчиной? Ладно кожа сморщивается, когда неправильно лежишь, тело провисает в проблемных местах, так ведь можно захрапеть! И если себе это может позволить женщина в двадцать пять, тридцать, даже тридцать пять, то уже в сорок — нет. По крайней мере, Элена в этом возрасте храпа стыдилась. Поэтому спала с мужем раздельно.

Она встала с кровати, поправила бретельку, пригладила волосы. Лучше? Не особо.

В спальне не было телевизора, Элена его крайне редко смотрела, а уж на ночь вообще никогда. Зато имелся музыкальный центр. Она подошла к нему, нажала кнопку «плей». Из динамика полилась композиция Криса де Бурга «Леди ин ред». Классика музыкальной лирики. У Элены был целый сборник подобных композиций. Именно его она прокручивала, желая усладить свой слух. Но сейчас у нее была потребность в другом...

Переключив на радио, Элена стала щелкать по станциям, выискивая что-то бодрящее, или, как говорил ее сын, драйвовое. Наконец наткнулась на какую-то совершенно сумасшедшую композицию.

Послушав ее несколько секунд, Элена кивнула и стала танцевать. А когда вокалист принялся издавать совсем уж странные звуки, она запрыгнула на кровать, сорвала с себя сорочку и, размахивая ею над головой, принялась прыгать.

...За этим занятием ее застал Миша Сергеев, вошедший в комнату.

— Ой! — Элена смутилась и, прикрывшись сорочкой, плюхнулась на пятую точку. К счастью, композиция закончилась, и певец замолчал.

— Извини, если помешал! — с улыбкой проговорил Миша и уселся на пуфик. — Ты всегда так... вместо зарядки?

— Бывает, — наврала Элена. И порадовалась тому, что не успела распустить нюни. — Ты где был?

— Выходил сигналку отключать. С пульта не сработала. — Он продемонстрировал ей бумажный пакет, который держал до этого под мышкой. — Купил поесть. А то у тебя в холодильнике голяк.

— Что там?

— Чебуреки.

— Серьезно? — Она натянула на себя сорочку и слезла с кровати.

— Нет, конечно. Разве я могу предложить их даме? Слоеные булочки с разными начинками. У вас у подъезда продают в ларечке. Пахнут обалденно.

— Да, запах по всей комнате разнесся.

Элена подошла к окну, отдернув штору, выглянула на улицу.

— Ого, уже начинает темнеть!

— Да. Вечер близится.

Он приехал к ней ночью. Пока говорили, снова сближались, целовались... занимались любовью... наступило утро. Уснули они часов в десять. У Миши был выходной, а Элена просто-напросто не пошла на работу.

И вот уже вторая половина дня.

В животе заурчало. Элена вспомнила, что не ела почти сутки.

— Пойдем поедим, — сказала она.

— Пойдем, но через какое-то время...

Она вопросительно посмотрела на Сергеева. И он красноречиво скинул с себя кофту.

— Булочки остынут, — шутливо предостерегла Элена.

— Я видел в твоей кухне микроволновку. Погреем!

И, сорвав с себя джинсы, рыбкой нырнул в кровать.

...Спустя полчаса они сидели в кухне и ели подогретые булочки. В холодильнике нашлось молоко, и они запивали сдобу именно им. Элена вспомнила, что с детства так не ела.

У Миши зазвонил телефон.

— Со службы, — сказал он, глянув на экран.

— У тебя же выходной.

Он развел руками.

— И вообще ты увольняешься.

— Пока я в органах, покой мне только снится! — Он закинул в рот остатки булки с маком и, жуя, направился в коридор, чтоб поговорить там.

Оставшись одна, Элена проверила свой мобильный. Куча звонков от сына и Васко, три от секретарши, один от Алисы и эсэмэс от бывшего. Того самого, которого она приняла за мужчину своей мечты. «Молодого мужа и отца». Стерла, не читая.

Михаил вернулся в кухню спустя минут пять. Лицо хмурое, озабоченное. Без улыбки оно казалось очень взрослым. Сейчас Сергееву можно было дать и сорок, и сорок два.

— Что-то случилось? — спросила Элена.

Он кивнул. Взяв булочку, поднес ее ко рту, но не откусил, вернул обратно на тарелку.

— Можешь сказать, что именно?

— Похоже, третья серия нашего ужастика отснята...

— Не поняла.

— Убийство еще одно. В том же стиле, что и предыдущие два: Коко и Сью.

Элена ахнула.

— Кто жертва?

— Женщина около сорока лет. Документов нет. Личность выясняется.

— А почему решили, что это убийство, как ты выразился, из той же серии?..

— Труп был запечатлен на мгновенную фотокамеру. Снимок прилагался.

— На полароид то есть?

— Ну да.

Она задумчиво закусила губу. Что-то не вязалось...

— А где обнаружили тело? — не прекратила расспросов Элена.

— На пустыре. Бомжи обнаружили. У них там бочки стоят, у которых они греются. Вот между ними труп и лежал...

— Не похоже на трилогию.

— Нет, это как раз трилогия. Только последнюю серию снял другой режиссер. Или тот же, но на малобюджетной киностудии.

— Последнюю аналогию не поняла.

— Не до эстетства ему было, понимаешь?

— Какие этому могут быть причины?

— Я думаю, планировалось снять две серии. А третья экспромтом вышла, без подготовки. Затянуло нашего Тарантино. Понравилось ему фильмы снимать в этом жанре. И теперь процесс важнее результата.

— Если Тарантино — Леша, у него просто нет сейчас возможности снимать так, как хочется. Он же в бегах.

Сергеев снова взял булку и на сей раз откусил бы от нее, если б не телефон. Ему снова звонили!

— Да, — рявкнул он в трубку. — Что? Да еду я, еду. Уже машину завожу... — Миша встал. Глотнул молока. — Да ты что? Тогда рой на него инфу. Я буду скоро.

На этом он диалог закончил и сунул телефон в карман джинсов.

— Отпечаток пальца на снимке нашли, — сказал он. — Идентифицировали. Принадлежит одному уголовнику. Федору Колесникову.

— Значит, не Леша убийца? Это радует, мне он нравился всегда.

— Не факт. Благодаря желтой прессе теперь об убийце с фотоаппаратом вся Москва гудит. Вполне возможно, у него нашелся подражатель.

Миша наклонился и чмокнул Элену в щеку.

— Побежал!

И унесся, на ходу одеваясь.

Глава 4

Алиса

Она смотрела на фото, где мама и ее новоиспеченный муж протягивали ей блюдце с тортом. Они оба его держали. Он левой рукой, она правой...

Алиса, поднявшись на носочки, тянулась к нему, растопырив обе ладошки.

Все трое улыбались.

Настоящая семейная идиллия.

— Ты в порядке? — услышала Алиса голос Глеба.

Она кивнула. Хотя хотелось повернуться к нему резко и заорать — какой, к черту, порядок? Я смотрю на фото, где моя мама прижимается плечом к человеку, который через каких-то полчаса ее задушит!

— Эту фату она шила сама, так же как и платье, — прошептала Алиса. — Бабушка говорила: дочка, сейчас такие красивые свадебные уборы для невест. Купи... Но не было таких, чтоб с длинной фатой, тогда было немодно. А он хотел, чтоб именно такая... До пола... Чтоб удобнее было душить?

Ноги подогнулись. Глеб подхватил Алису, крикнул Ринату:

— Принесите воды, пожалуйста.

Ее усадили. Дали попить. Потом сунули под нос что-то вонючее.

— Не надо, — отмахнулась она. — Я не собираюсь терять сознание...

— Ты уже его потеряла, пусть и на пару секунд. — Это говорил Васко. Он сел рядом, взял ее руку в свою пухлую теплую ладонь, и стало немного спокойнее.

— Я вспомнила, как его звали. Федором. Я никак не называла его, потому что ему не нравилось сокращенное — Федя, а Федор я не могла выговорить из-за «р». А еще мне казалось странным, что взрослый человек и мальчик из любимого мультфильма — оба дяди Федоры.

— Никогда бы, глядя на него, не подумал, что передо мной убийца, — сказал Оскар. Он тоже приехал с остальными. — Такое добродушное лицо. Или оно только на фото такое?

— Нет, в жизни тоже, — ответил ему Ринат. — Если бы он был артистом, то играл бы деревенских простачков. Таких, что и мухи не обидят.

— Может, не он?

— Как же не он, если было чистосердечное? А по внешности не суди. Многие преступники — чистые ангелы на первый взгляд.

— Да это понятно...

— А что с ним стало? — обратился к Ринату Васко.

— Да не знаю я ничего! Видел, как его под стражу заключали, — и все. Посадили, наверное.

— Или в дурку упекли, — предположил Оскар. — У нормальных людей просто так крыша не съезжает.

— Моя бабушка наверняка знала, — вступила в разговор Алиса. — Но все долгие годы хранила тайну маминой смерти.

— Тебя оберегала. — Ринат прошел к книжному шкафу, отодвинул несколько томов Большой советской энциклопедии и вытащил из-за них бутылку коньяка. — Заначка, — пояснил он. — И бабушка твоя, и память — не зря они от тебя то страшное событие сокрыли.

Ринат показал Васко бутылку. Тот согласно кивнул. И хозяин дома достал из второго шкафа, посудного (стенка была советской, а в ней хрусталь да чешское стекло — шик брежневских времен), стопочки с чертенятами. Они были помещены внутрь них. Открутив крышку, Ринат плеснул коньяк сначала в одну стопку, затем в другую, топя чертей.

Алиса перебрала все фотографии, что имелись. Затем попросила:

— А можно посмотреть пленку?

— Можно. У меня и аппарат есть, чтоб кадры увеличить. Минутку.

Быстро чокнувшись с Васко и выпив, он вернулся к стенке и принялся рыться на антресолях.

Спустя десять минут они смотрели фотографии, увеличенные до размера настенных картин — пленку Ринат заправил к устройство, напоминающее проектор для диафильмов. У нее был такой в детстве. Бабушка показывала ей по нему сказки.

Кадры мелькали, сменяя друг друга. Почти на всех была и она, Алиса. Как правило, немного недовольная. С нее так и не сняли платье из ацетата, и ей было не по себе. Девочка лезла не в кадр, а тянулась к маме. Порой мешая ей фотографироваться...

Неужели чувствовала, что вскоре их разлучит смерть?

— Вот последний «живой» снимок, — сказал Ринат, указав на фото невесты с охапкой цветов. — Мы пошли в соседний, пустующий, зал, чтобы сделать его. Потом я решил, что надо их с дочей и мамой запечатлеть. Три поколения сразу. Оставил фотоаппарат и вернулся в зал. Ни бабки, ни ее внучки найти не мог. Отыскал в туалете — девочка... — Он указал на Алису. — Ты, то есть, коленку разбила. Бабушка с нее кровь смывала. Я сказал вам, чтоб шли во второй зал фотографироваться. Вернулся минут через десять, застал невесту, как я думал, спящей... Дальше вы знаете.

— Тут пять фотографий мертвой мамы, — сказала Алиса. — Зачем вы столько сделали?

— Моя — только последняя.

— А остальные?

— Не знаю. Сам удивился, когда пленку проявил. За портретом с цветами должен был следовать тот, который вы видели распечатанным еще в кабинете Оскара. Я решил, что кто-то из детей (не одна Алиса на свадьбе присутствовала) забежал да схулиганил, нажал на кнопочку фотоаппарата.

— Нет, их сделал убийца! — воскликнул Васко.

— Дядя Федор? Да брось!

— Слушайте, ребята, мне это все не нравится.

— Мне тоже, — тихо проговорила Алиса. — Потому что я видела дядю Федора недавно. И знаете, где? У подъезда Коко. В день ее смерти.

Мужчины переглянулись.

Первым телефон достал Оскар.

— Я звоню Сергееву, — бросил он, пробежавшись большим пальцем по экрану.

Глава 5

Дэн

Блюдо с дымящимся карпом было вынуто из духовки и поставлено на плиту. Рыба, кроме своего естественного запаха, источала ароматы жареного лука и свежего укропа. Дэн, уловив их, зажмурился.

— Перфекто, — пробормотал он.

— Чего-чего? — переспросил дед, сняв с рук термостойкие рукавицы.

— Это по-итальянски означает «идеально», — разъяснил старику Дэн. О том, что он узнал об этом только сегодня, конечно же, умолчал.

— Ишь че... — хмыкнул тот. — Но не перфекто! Дымком не пахнет. — И добавил еще немного укропа.

— Дед, я так рад! — Дэн вскочил и обнял старика. — Ты не представляешь...

— Не верил, что приеду?

— Неа.

— Да я и сам... — Старик махнул рукой. — Если б не Митяй...

Бывший тренер вернулся в деревню два года назад. Купил там дом своей мечты. Взял в жены молодуху, дите народил. Но захворало оно. Пришлось в столицу везти. А так как в машине место было, взяли и деда Веню.

— Мать-то придет? — спросил он.

— Обещала.

Это было так неожиданно — увидеть деда в Москве. Дэн наведывался к нему в деревню, хоть и не часто, не регулярно. И всегда старика в гости звал. И тот хоть и обещал, но оба, и дед, и внук, не верили в то, что увидятся в столице.

И вот сегодня свершилось чудо!

Дэну позвонил Митяй и сказал — встречай гостей! Он подумал — бывший тренер к нему наведаться хочет. А спустя двадцать минут к подъезду подкатил его минивэн, и из него выбрался дед. Сгорбленный, худой, с бородой лопатой, в шубейке из искусственного меха и парадной ушанке из норки...

Как Дэн не расплакался от счастья при виде него, сам не понял.

Старик приехал с гостинцами. Три сумки были при нем. В одной самогон. В другой соленья. В третьей рыба. Дед каждую предварительно почистил и выпотрошил, заморозил, завернул в листья хрена и ароматные травы, что заготавливает с лета, затем в фольгу и засунул в пакет. Когда карпы, щуки и судаки доехали до столицы, они были готовы к жарке. Разморозились, но не протухли, пропахли, как надо. Кидай их на сковороду или противень да запекай.

Дед так и сделал. С дороги только руки помыл и сразу к плите. Внуку поручил только банки с огурцами, помидорами открыть.

— Мать ждать будем или поедим? — спросил дед, нарезая рыбу.

— Если не хочешь, чтоб я слюной захлебнулся, давай поедим.

На самом деле Дэн не особо хотел кушать. Просто он не верил, что Нина придет.

— Тогда доставай тарелки и режь хлеб.

— Ой, дед... Хлеба у меня нет.

— Как это? — рыкнул старик.

— Ты так реагируешь, будто я сказал, что бога нет, — попытался пошутить Дэн.

— Кто ж без хлеба ест? А тем более рыбу? Нет, я тогда голодный останусь. — И сел, скрестив руки на груди.

— Да я сбегаю в магазин, не переживай.

— Карп остынет.

— Не ты ли мать ждать собирался?

— Знал бы, что у тебя хлеба нет, не поехал бы.

Дэн рассмеялся.

— Я тебя обожаю, дед. — Он поцеловал старика в морщинистую щеку. — Сейчас у соседей займу. Хотя тут это и не принято...

Он направился к двери, думая о том, с каким недоумением на него посмотрят жители соседних квартир, когда он возникнет на их порогах со своей просьбой. Но тут по прихожей разнесся звонок. Это явился тот, кого не ждали...

Нина!

И что самое поразительное, с хлебом.

— Ты как знала, что нужно принести, — восхитился Дэн, принимая у нее из рук пакет с двумя буханками.

— Конечно, знала, — фыркнула она. — У тебя сроду хлеба нет, а батя без него ничего не ест.

Она прошагала в кухню и, раскинув руки для объятий, воскликнула:

— Ну, здравствуй, папаня!

— Здорово, коль не шутишь, — проскрипел он, не думая подниматься, чтоб обнять дочь.

Это ее не смутило совершенно. Дэн поражался ее характеру и умению владеть собой. Или ей на самом деле все равно, что о ней думают? Даже те, кто одной с ней крови и плоти...

— Вот это запах! — восхитилась Нина. — Давно мои ноздри не улавливали подобного. — Она плюхнулась на табурет и, схватив огурчик с тарелки, захрустела им.

— Ты бы воздержалась, — посоветовал ей Дэн. — Они с хреном и чили-перцем, а тебе острое нельзя.

Нина отмахнулась.

— Язва меня больше не беспокоит. — И к деду обратилась: — Самогоночки привез?

За него ответил Дэн. И не словом, а делом — достал из холодильника бутылку брусничной настойки. От той, что продавалась в магазинах, она отличалась крепостью, зашкаливающей за пятьдесят градусов. Дэн разлил ее по трем стопкам. Сам бы он воздержался, но не хотел обижать деда.

Они чокнулись и выпили за встречу. После стали есть карпа. Дед молчал. Дэн тоже больше помалкивал, трещала одна Нина. И если сын иногда вставлял фразы, то отец, казалось, был так увлечен поглощением карпа, что даже ничего не слышит. Но вдруг, обсасывая хвостик, заявил:

— Постарела ты, Нинка.

— Да и ты не помолодел, — не осталась в долгу дочь.

— А то что. Мне бы век свой дожить. А здоровье, слава богу, богатырское. Ты же вон и больная, и выглядишь уже не ахти.

— Ты приехал, чтобы меня обосрать?

Дэн поморщился, услышав последнее слово. Его коробило, когда женщины грубо выражались. А тут не просто женщина — мать.

— Мне до тебя дела нет, — ответил дед. — Я к внуку приехал. И это его инициатива была — тебя позвать.

На самом деле все было не так. Дед хотел увидеть дочь, но напрямую этого не говорил. И Данила сделал так, чтоб старик не понял, что, приглашая Нину, он хочет порадовать его. Сам он считал, что этой семейной встречи нужно было избежать.

— Бать, давай выпьем? — Нина знала, как заминать конфликты.

— Давай, — ответил дед.

— Я все равно тебя люблю, черт ты старый.

— Да иди ты!..

— И за сына спасибо. Хорошего парня вырастил.

— Да уж. У тебя бы так не получилось.

— Поэтому я на тебя его и оставила.

— Правда, что ли, язва у тебя?

— Была, да. А сейчас вообще не беспокоит. Как думаешь, бывает такое, чтоб она раз — и ни с того ни с сего зарубцевалась?

— А как же! Степаныча помнишь?

— Гармониста?

— Его. Так вот он всю жизнь маялся. И что ты думаешь! Как жена его, что поедом Степаныча ела, скончалась, так он и выздоровел. Сейчас не узнаешь. Толстый, красивый, по девкам молодым бегает...

Вот так они и болтали. А Дэн, сидя в уголке кухни, слушал их и радовался тому, что два самых близких ему человека без напряга общаются.

...Он не заметил, как уснул. День выдался суматошным, вот Дэн и отрубился. Устал.

Разбудила его Нина. Тронула за плечо со словами:

— Хватит дрыхнуть, давай чайку попьем.

Данила встряхнулся, огляделся.

— А где дед? — спросил он, не найдя старика за столом.

— Спать пошел, умаялся.

Она поставила перед ним чашку с крепким чаем. Дэн сделал глоток и поморщился: горячий.

— Я правда плохо выгляжу? — спросила у него Нина.

— Неправда.

— Не щади меня. Скажи как есть.

— Я и говорю как есть.

— На сколько?

— Что?

— На сколько лет?

— На сорок.

— И ты сейчас так говоришь не из желания меня порадовать?

— Мам, тебе не дашь твои года. Это сто процентов.

— Хорошо, — улыбнулась она. — И в который раз я напоминаю...

— Что ты не мама, а Нина.

Бутылка из-под настойки стояла на полу. Пустая. Выходит, Веня с Ниной выдули целых пол-литра. «Сильна матушка, — подумал Дэн. — Мужик, дед то есть, «скопытился». А ей хоть бы хны. Даже не скажешь, что пьяна...»

— Ты сказала деду о смерти Коко?

— Нет.

— А вообще о ней? О том, что мы общались с ней?

Она покачала головой.

— Почему?

— А ты почему?

— Я же вроде как не знаю тайну твоего рождения.

— И я вроде не знаю. Пусть батя живет спокойно. Зачем ему лишние переживания? — Нина сделала большой глоток чая. Для нее он был не так уж и горяч. — Не верится, что они с Коко ровесники, правда?

— Дед старше.

— На каких-то жалких два года. Считай, ровесники. Но батя старик стариком, а она была конфеткой. Надеюсь, ее гены во мне возобладали.

Дэн подошел к холодильнику. Есть не хотелось, а вот чем-то полакомиться — да. Он обожал дедовы заготовки и стал выбирать, какую из банок открыть. Выбор пал на ту, что содержала перцы в томатной заливке. Открыв ее, Дэн вернулся за стол.

— У тебя появился мужчина, да? — спросил Дэн, макнув в томатную подливку кусок белого хлеба.

— Нет. С чего ты взял?

— Видел тебя с одним...

— Быть такого не может, — фыркнула Нина. — Потому что на данный момент у меня никого.

— Худощавый блондин чуть постарше тебя.

— Федя, что ли? Ну ты меня просто опустил сейчас, Даня. Я в голодный год с таким не стала бы.

— Если он не твой мужчина, то кто?

— Да никто, просто знакомый.

— Ты стремилась от меня отделаться, чтоб встретиться с просто знакомым? Не поверю.

— Дело твое.

И принялась попивать свой чай.

— Что это за мужик? — не отставал от нее Дэн. — Как вы познакомились?

— Обычно. На улице.

— Не думал, что ты знакомишься на улице.

— Вообще — нет. Но с Федей мы просто очень часто оказывались одновременно в одном и том же месте.

— Это где же?

— Да тут.

— Не понял.

— У дома этого.

— Это когда ты следила за Коко?

— Ну да...

— А он что тут делал? Тоже за кем-то следил? — это Дэн так пошутил. Поэтому не ожидал положительного ответа:

— Да. За Алисой.

Дэн посмотрел на мать с недоумением.

— Когда-то Федор был женат на ее матери.

— То есть он ее отец?

— Нет. Должен был стать отчимом. Но... — Она махнула рукой. — Сложно все. И не расскажешь в двух словах.

— Расскажи в десяти.

— Зачем тебе? Или теперь тебя интересует все, что связано с Алисой?

— А если и так?

— Нет у тебя шансов, Даня. Забудь о ней.

— Расскажи мне о Федоре.

— Он убил мать Алисы прямо во время свадьбы. Задушил ее фатой.

Дэн посмотрел на Нину с ужасом.

— Как ты можешь общаться с таким человеком?

— А как ты мог общаться с Коко? Она собственное дитя убить пыталась. И только не начинай опять о том, что она этого не хотела и бла-бла-бла...

— Ладно, продолжай.

— Федор, в отличие от некоторых, за свое преступление ответил. Двадцать лет отсидел.

— Это Алисе мать не вернуло.

— Я его не оправдываю. И когда узнала, что он натворил, хотела прекратить наше общение. Но он попросил меня выслушать его, а потом решать.

— И что же он сказал в свое оправдание?

— Федор с детства был влюблен в одну девочку. Машеньку. Они жили в одном подъезде. Играли вместе во дворе. Друг к другу в гости ходили. Федор ее постарше был и в школу пошел раньше. Но так ему хотелось в одном классе с Машенькой учиться, сидеть вместе за партой, что Федя на второй год остался. Специально учился из рук вон плохо, чтоб с любовью своей воссоединиться. И у него все получилось! Мечта сбылась, и десять лет они провели, сидя рядышком. А на выпускном Федя сделал девушке предложение. Машенька дала согласие. Но сказала, что поженятся они, только когда в институтах отучатся. Федя не возражал. Понимал — образование обоим нужно. А если они семью заведут вскоре, Маша может и не получить диплома. Она не особо блистала знаниями. В основном за счет Феди выезжала.

В вузе он так же ей помогать планировал. Поэтому поступил не на тот факультет, куда мечтал, а куда Маша желала попасть. В общем, все он для нее делал. Собой пусть по малости, но жертвовал. Она очень это ценила. Только не помешало это Маше в другого влюбиться. Случилось это, когда она на четвертом курсе училась. И стала она с парнем тайно встречаться — у него тоже девушка имелась. Машенька уже все Феде рассказать хотела, надеялась, что поймет и простит, как ее избранник решил отношения порвать. Он, в отличие от Маши, со своей избранницей не надумал расставаться. В общем, осталась она при Феде, тайно страдая по тому, который ее бросил. А учеба тем временем к концу подходила. Впереди диплом и...

— Свадьба?

— Да. Федя к ней готовиться начал за полтора года. Устроился на работу, чтобы деньги копить. Был вечно занят. Это Маше и позволяло со своей тайной любовью встречаться. И вот диплом на руках, заявление в ЗАГСе. Свадьба через месяц. Маша вроде бы уже в себя пришла после расставания с любимым. Поняла, что лучше Феди нет, но...

— Дай угадаю. Тот, кто бросил ее, нарисовался на горизонте?

— Точно. И стал снова Машеньку околдовывать чарами своими. Мучилась она, мучилась, не зная, что делать, да не выдержала такого напряжения нервного. Надела платье белое, фату, написала записку предсмертную да с собою покончила.

— Каким образом?

— Таблеток наглоталась. Ее в свадебном платье хоронили. В гробу как живая лежала. У Феди срыв случился на похоронах. Не давал крышку заколачивать. Кричал, что Машенька не умерла и скоро проснется. Еле оттащили его. А ночью он на могилу побежал — отрывать невесту. Сторож кладбища, хорошо, заметил. Скрутил парня да в больничку отправил. Его там прокапали да отпустили. Хорошо, не положили в психиатрию, а то с клеймом бы остался навсегда. А так смог нормальную жизнь начать, на работу устроиться.

— Лучше бы ему с клеймом оставаться! Глядишь, Алисина мама жива бы осталась.

— Ты же обещал не перебивать, — укорила сына Нина. — Я тебе факты излагаю, только и всего.

— Ты не беспристрастна. Я же чувствую.

— Да ты пойми: он в состоянии аффекта действовал, когда душил ее.

— Будь так, ему бы не впаяли двадцать лет!

— Он, когда понял, что натворил, в петлю полез. Но вынули его из нее. Потом побили немного да в милицейский «козелок» затолкали. До суда почти полгода сидел в КПЗ. Оттуда письма писал матери покойной. Прощения просил. Та не отвечала. А когда он на суде ее увидел, в лицо плюнула.

— А он что хотел? — возмутился Дэн.

— От тебя, Данечка, я большего понимания ждала. Напомнить, почему?

— Если ты сейчас намекаешь на то, что я сам убил человека...

— Именно.

— По неосторожности! — повысил голос Дэн.

— Не ори, деда разбудишь.

— Ты нас не сравнивай!

— Да почему же? Ты так же, как Федор, лишил другого жизни. Но тебе повезло больше, достался хороший адвокат.

Данила резко поднялся. Пальцы, которыми он упирался в столешницу, побелели. Лицо тоже.

— Ты правда равняешь нас? — медленно и тихо проговорил он, едва цедя каждое слово. Он давно не был так взбешен. И Нина, очень остро чувствующая перемену настроения своих собеседников, а главное — момент, когда она перегибает палку, сразу же сменила тон:

— Сынок, я — нет, — мягко проговорила она, да еще сыном назвала, а не Данечкой, как обычно. — Но кто-то со стороны... Кто тебя не знает. И всей ситуации... Я просто к тому, что судить мы права не имеем.

«А мать свою судишь, — мысленно возразил Данила. — Потому что ее история тебя касается... Как меня — Алисина. Ты права была, теперь все, что ее касается, мне не безразлично...»

— Федя в бога уверовал, пока отбывал наказание, — продолжила Нина. — Все двадцать лет молился. Говорит, икона у них была старинная в часовенке. Так мироточить начала, когда приложился к ней на святой праздник.

— А крылья у него случайно не проклюнулись? Знаю я этих ребят, что долгие сроки мотают. Пока там, на зоне, им за что-то надо держаться. Вера — самый мощный стержень. Вот только жаль, что, когда на свободе оказываются, теряют его.

— Нет, Федин при нем остался. Поэтому я и прониклась к нему.

— Зачем он следил за Алисой, коль такой святоша? Ангелом-хранителем ее заделаться хотел?

— В ноги упасть, повиниться. Да все не мог набраться смелости. Алиса такая стала... Ну ты и сам знаешь, какая!

— Красивая, гордая?..

— Скорее неприступная, холодная.

— Откуда Федя узнал, где ее можно подстеречь?

— Он вообще узнал о ней случайно. Увидел ее фото в журнале и узнал девочку, с которой играл, когда она была совсем крохой. Она не так уж сильно (не кардинально, по крайней мере) изменилась, плюс — имя у нее редкое. Почитал интервью, вычислил, где находится агентство, с которым Алиса сотрудничает...

— Он выследил ее, я понял. И что же?

— Как я тебе и говорила, пытался смелости набраться, чтоб подойти, а когда решился на это, она его за пьянь приняла, которому на опохмел не хватает, сто рублей сунула и в подъезд шмыгнула. Это было в день, когда бабку твою убили.

— А зачем он приезжал к тебе позавчера?

— Поговорить хотел. Ему не с кем больше.

— И о чем?

— Об Алисе. Беспокоился он о ней. Начитался статей об убийствах Виктории и Сюзанны, боялся, как бы с ней чего не случилось. Тоже ведь модель!

— Ты серьезно думаешь, что он изменился?

— Я дома у него один раз была. Там в иконах все. И он на них постоянно молится. И взгляд при этом чистый-чистый...

Тут из спальни раздалось покряхтывание, это дед Веня в постели ворочался. Видимо, до него доносился их разговор и мешал спать.

— Все, поехала я, — тут же засобиралась Нина.

— Такси вызову тебе. Обожди.

— Давай. А я на посошок самогоночки выпью.

— Так вы приговорили всю бутылку.

— А что мне мешает открыть другую?

И махнув на сына рукой, чтобы уходил за телефоном, достала из холодильника рябиновую настойку.

Часть седьмая

Глава 1
Алиса

Она почти не спала этой ночью. Забывалась на некоторое время, но, как только начинала видеть кошмары, заставляла себя пробудиться. К счастью, ей это удавалось. И большую часть ночи она провела, просто лежа в кровати. Под утро тихонько встала и отправилась в кухню. Там, заварив себе чая, уселась с ногами на диван и стала смотреть «Дискавери». Время за просмотром передачи об африканской саванне пролетело быстро. Когда она сменилась фильмом о флоре и фауне коралловых рифов, Алиса сделала себе еще чаю и два бутерброда и углубилась в изучение подводного мира Красного моря. И спустя четверть часа поняла, не зря говорят, что нет более умиротворяющего занятия, чем наблюдение за рыбами. Алиса не заметила, как уснула, уронив голову на подлокотник. И пробудилась не потому, что замучили кошмары. Ее разбудил Глеб.

— Извини, что беспокою, — проговорил он, присев возле дивана на корточки. — Но тебе звонят из полиции. Думаю, нужно ответить.

Алиса кивнула и стала протирать глаза, чтобы сфокусировать зрение. Спросонья она всегда плохо видела. Ее это даже какое-то время беспокоило. Алиса боялась, не начинается ли у нее катаракта (бабушка страдала от нее, а она слышала, что эта болезнь может быть наследственной), но окулист, проведя обследование, ее успокоил. Глаза в порядке. А вот мышцы слабоваты. И посоветовал делать для них зарядку. Алиса взяла распечатку с комплексом упражнений, но вскоре ее потеряла.

— Вот телефон! — Глеб сунул сотовый ей в руку.

Алиса глянула на экран. Звонок уже оборвался. Но тут же телефон вновь завибрировал.

— Доброе утро, — поприветствовала Алиса звонившего ей следователя Верника.

— Здравствуйте. Рад тому, что ваше утро доброе.

— Вы хотите мне его испортить? — испугалась она.

— Не так чтобы... — Игорь замялся. — Но и порадовать вас нечем. Федора Колесникова мы пока не нашли.

Алиса сглотнула. О том, что на месте нового преступления найден отпечаток убийцы ее матери, ей сообщили вчера. Когда Оскар позвонил Сергееву, а затем передал трубку Алисе, то между ними состоялся долгий диалог. Она рассказала о дяде Федоре и о том, что видела его у дома Коко, он — о новой жертве и посмертной фотографии. После чего порекомендовал Алисе лишний раз не покидать дома, пока дядю Федора не отыщут и не заключат под стражу. А так как Глеб обитал в охраняемом жилом комплексе, то она засела в его квартире.

— Если соберетесь покидать дом, — продолжил Верник, — возьмите с собой спутника мужского пола, чтоб защитил. Не думаю, что Колесников нападет на вас, но береженого, как говорится...

— Я у Глеба, своего жениха. Если соберусь выйти, он будет со мной. — Алиса взяла со стола чашку с остатками кофе, сделала глоток. — Но это он, да? Убийца?

— Доказательств этому пока нет, кроме отпечатка и вашего свидетельства — вообще ничего. Не знаем, где он обитал последнее время. Поэтому пока не можем провести обыск в его жилище. Он бы что-то дал... — Тут кто-то его окликнул, и Верник свернул разговор. — Как будут хорошие новости, я вам сообщу. До свидания.

Алиса попрощалась с ним и, отключившись, убрала телефон.

— Ты слышал? — обратилась она к Глебу. Он находился совсем рядом, когда она говорила со следователем.

— Да. И знаешь, что я думаю? Надо нам уехать за границу. Там нас твой дядя Федор точно не найдет.

— А мне можно? Я же свидетель.

— Плевать! Уедем, и все. Я сегодня закончу свои дела. Те, что невозможно закончить, перенесу. И мы поедем с тобой в аэропорт, купим билет на ближайший рейс и...

— А как же мои дела? Я не могу вот так.

— Алис, ты собираешься замуж за обеспеченного человека. Не беспокойся, я покрою твои убытки от пары несостоявшихся съемок.

— Тогда мне нужно собраться.

— За паспортом заедем по дороге, а вещи купим там, куда прилетим. Предлагаю выбрать примерное направление.

— Хочу на море.

— Значит, полетим на море. Для меня, конечно, главное, чтобы ты была в безопасности, но важно еще и твое счастье.

Алиса подалась вперед и обвила руками его шею. Какой он славный, ее Глеб!

Как она жила без него?

Сколько мужчин было до Глеба, а никто так не тронул. И не заставил задуматься...

Как раз последнее было ценнее всего. Алиса до того, как близко познакомиться с Глебом, считала, что человек, в принципе, примитивен. Даже тот, кто изобрел, к примеру, сложнейшую компьютерную программу или вывел сложнейшую формулу. Его мозг заточен так, чтобы функционировать в определенном направлении. То есть тот, кто программирует или изобретает, может делать только это. И интересоваться этим же. Да, возможно, он имеет хобби и плавает под парусом, ищет клады, собирает пазлы, лепит, сочиняет стихи, варит из металлолома фигуры, готовит экзотические блюда (нужное подчеркнуть), но все равно живет он своими программами и формулами. Это его мир, который он изредка покидает. Как домашний кот, иногда выбирающийся на прогулку по двору. Сама она была такой. И все ее мужчины. Но Глеб буквально взорвал ее мозг. Оказалось, что есть такие люди, мир которых простирается так далеко, что не видно его конца. Он был тем котом, который не только покидает двор, но и улицу, на которой его дом находится, город, материк, планету...

Вселенную!

— У тебя снова телефон звонит, — услышала Алиса голос Глеба.

— Кто там? — спросила она, не желая отлипать от него, чтобы глянуть на телефон.

— Данила... — И после секундной паузы: — Ответишь?

— Нет.

Она почувствовала теплоту его губ на своем лбу. А затем услышала вопрос:

— Что ты хочешь на завтрак?

— Гренки.

— Куски булочки, вымоченные в молоке и яйце?

— Да. И чтоб они были политы вареньем.

— Клубничным?

— Желательно. Но я согласна на любое.

— Ты помнишь, что именно им мы поливали тосты в том отеле, где провели первую ночь?

— Конечно. У тебя на подбородке застыла капля...

— И ты ее слизнула.

— На глазах у всех, — закончила за него Алиса. Это было ИХ воспоминание. Одно из многих. Но наиболее ценное. То, что было связано с теми двумя днями в Стокгольме, в файлах памяти автоматически перемещалось в папку «избранное».

— Буду жарить гренки, — сказал Глеб, поцеловав Алису.

— А я сварю кофе.

И они принялись за приготовление завтрака.

Глава 2

Дэн

Он давно проснулся. Но не вставал. Лежал, таращась в потолок.

Переместив взгляд на тумбочку, увидел телефон. Взяв его, набрал номер Алисы. Хотел узнать, как у нее дела. Она не ответила. Дэн швырнул сотовый на кресло, но промазал, и он свалился на пол. Хорошо, что на ковер, а то мог бы разбиться, а денег на покупку нового, такого же приличного, у него нет. Заложив руки за голову, он продолжил прерванное занятие. Совсем разленился, ругал себя Дэн. Нет бы встал, зарядку сделал. Раньше постоянно тело тренировал, сейчас же то времени не было, то желания. Хорошо, хоть силы имелись. Поэтому Дэн приложил их все же, спрыгнул с кровати и начал отжиматься.

Двадцать раз на пальцах. Тридцать на кулаках. Пятьдесят на локтях.

Устал. Но решил продолжить. Пока руки отдыхали, покачал пресс. Затем поприседал. И снова лег на пол, чтобы отжаться обычным способом раз пятьдесят.

Закончив зарядку, Дэн принял душ. Есть после интенсивной физической нагрузки не хотелось. Решил выпить чаю, а позавтракать через часик, но когда зашел в кухню, там уже хозяйничал дед. В семейных трусах и длинной тельняшке он стоял у плиты и жарил яичницу. Естественно, с луком и укропом. Старик почти всюду добавлял и то и другое. Только в деревне зимой использовал сушеный укроп, а тут, у внука, обнаружил в холодильнике свежий.

— Доброе утро, — поприветствовал он Даню.

— Привет, дед. — Он чмокнул старика в щеку. — Как спалось на новом месте?

— После пяти стопок настойки? Да замечательно.

— Ты вчера превысил свою норму чуть ли не в два раза?

— Все из-за Нинки. Мать твоя сильна! Пьет, как мужик. Во сколько она вчера уехала?

— Поздно. Мы тебе не сильно мешали своими разговорами?

— Я их и не слышал.

— Просто ты ворочался...

— Это мне битком набитый желудок мешал, а не ваши разговоры. Чего мать не оставил у себя?

Бабе одной ночами шарахаться нельзя. Особенно в городе.

— Я такси ей вызвал. Довезли до самого подъезда.

— Точно довезли?

— Да, она сообщение прислала. Отчиталась.

— Ну ладно тогда.

Дед поставил сковороду на подставку под горячее. Жареные яйца и картофель он никогда по тарелкам не раскладывал. Считал — из сковороды есть вкуснее.

— Садись, завтракать будем.

— Я пока не хочу.

— Да ладно! Я слышал, как ты пыхтел. Значит, занимался. После этого завсегда кушать надо.

Спорить со стариком насчет еды было бесполезно, и Дэн опустился на стул. Но тут зазвонил телефон, и он, вскочив, отправился на его поиски. Найдя сотовый под кроватью, ответил. Номер был незнакомый.

— Здравствуйте, — услышал он приятный баритон. — Я разговариваю с Данилой?

— Совершенно верно.

— А меня зовут Марк. Марк Андреев. Ваш номер мне дал Васко, фотограф. Фамилии его не помню, к сожалению.

— Да, я понял, о ком вы.

— Он очень мне рекомендовал вас в качестве модели.

— Серьезно? А он предупредил вас, что у меня нет опыта?

— Уже есть. Вы работали с Васко. Дело в том, что у меня горит съемка. Молодой человек, которого мы для нее ангажировали, попал в больницу с острым приступом аппендицита. Срочно ищем ему замену. Не хотели бы вы попозировать вместо заболевшего? Оплата высокая... — И озвучил сумму.

Дэн мысленно присвистнул, услышав ее. В «Модистке» ему заплатили почти в два раза меньше.

— Хорошо, давайте поработаем.

— Вы так нас выручите! — обрадовался Марк. — Я пошлю за вами машину. Скажите, куда подъехать.

Он назвал адрес.

— За вами моя помощница приедет ровно через полтора часа. Выходите к подъезду, хорошо?

— Ладно.

— Я вам ее номер пришлю на всякий случай. Вдруг опоздает? Хотя не должна. До свидания.

Дэн попрощался с Марком и вернулся в кухню. Дед не ел, ждал его.

— Остынет! — воскликнул он с упреком, завидев внука. — Садись, хавай.

— Айн момент. — Данила опустился на табурет и схватил вилку. Тут же взял кусок хлеба — дед нарезал, пока внук болтал, — и вгрызся в него. В нем неожиданно проснулся зверский аппетит. — Я отъеду через полтора часа. Работа.

— Что за работа? — поинтересовался старик, зачерпнув ложкой жареного яичка — вилки он использовал в самых редких случаях, желая проявить уважение к хозяевам дома, что принимали его. Поэтому вчера он старался обходиться без ложки. Но сегодня... хватит уже!

— Дед, ты такую не знаешь.

— Что это? Думаешь, я совсем отсталый? Я и программистов знаю, репортеров, сисадминов и этих... как их? — И по слогам произнес: — Мерчендайзеров.

— А моделей?

— Тоже. Мне нравится Адриана Лима.

— Кто? — обалдел Дэн. Ему это имя ни о чем не говорило.

— Ой, такая красотка. Маракасы у нее... во! — И показал эти самые маракасы, выставив перед собой ладони с чуть согнутыми пальцами. Дэн понял, что Веня имеет в виду грудь.

— А мужчин-моделей знаешь?

— Только бывших. Эштон Катчер до того, как стать актером, в рекламе снимался.

Этого парня Дэн знал — видел в кино, поэтому кивнул.

— Ты не думай, что мы, пенсионеры из провинции, темные. Журналы читаем, телик смотрим...

— Вот я сегодня буду как Эштон Катчер.

— На взрослой бабе жениться? — Дед аж ложку ото рта убрал.

— Сниматься в рекламе буду.

— А... Ну это я одобряю. Лучше так, чем жениться. Не, я в принципе не против того, чтоб избранница была постарше и имела ребенка, но не в два раза, и не троих!

Дэн быстро поел и стал собираться. Он не знал, надо ли бриться, потому оставил щетину. Возможно, она дополнит его образ, а если нет, ее удалит стилист.

Приведя себя в порядок, он посмотрел на часы. До контрольного времени оставалось семь минут. Дэн решил спуститься к подъезду. Лучше там обождать помощницу Марка. Погода вроде бы к прогулкам располагала.

Когда Дэн оказался на улице, то сразу увидел машину, его ожидающую. В ней сидела женщина, которая, завидев его, помахала.

Данила направился к ней, затем забрался в салон.

— Вы — Данила, — воскликнула женщина радостно.

— Да. А вы?

— Ксения. — Она протянула ему свою ладошку, обтянутую перчаткой. — Очень приятно.

— Взаимно. — Пристегиваясь, он спросил: — А вам не жарко? — Дело в том, что Ксения была одета в шубу из пышного меха и норковую шапку. Даже если бы она передвигалась не в машине, а по улице, то ей было бы не очень комфортно в одеждах, рассчитанных на минус тридцать.

— Молодой человек, что вы, меха очень комфортны, в них не холодно и не жарко, если мы, конечно, не берем в расчет африканские погоды и даже наши летние.

— Что за сессия мне предстоит? — перевел разговор в нужное для себя русло Дэн.

— О, это будет просто потрясающая съемка. Вы — в роли мима.

— Кого?

— Вы не знаете? Мим — это подражатель. Человек, показывающий пантомимы.

— У которого выбелено лицо, а на голове смешной берет?

— Да, современный человек представляет мимов именно так. Но вообще их образ претерпел изменения за века... — Она поджала свои ярко накрашенные губы. — По крайней мере, мне так сказал Марк. Сама я не очень-то в курсе...

— Но я буду парнем с выбеленным лицом и в смешном берете?

— Этот образ так же будет запечатлен на камеру. Но не он один...

Дальше они ехали молча. Благо недолго.

— Вот мы и на месте, — сказала Ксения, тормозя у неприметного серого дома в два этажа. Дэну показалось, что он необитаем. Хотя все окна и двери были целы.

— Студия тут?

— Нет, тут помещение, оборудованное под студию. Мим — артист одинокий. И фотографу...

— Марку?

— Именно. Так вот, ему пришло в голову снять мима в пустом здании.

Они вышли из машины. Ксения оказалась высокой, почти с Дэна ростом. Они прошли к зданию, зашли в него. Причем ассистентка Марка пропустила Данилу вперед, будто он был женщиной, а не она.

Когда они оказались внутри, Дэн обратил внимание на то, что очень тихо. Как будто никого там, кроме них.

— А где Марк? — спросил Дэн, приостановившись.

— Там! — Ксения указала куда-то вперед.

И вот тут Данила испугался. Все было как-то странно. И звонок, и эта женщина, и заброшенное здание, в котором явно ни одной живой души...

Его заманили в ловушку? Но зачем?

Подумать об этом он не успел. Ксения резко выбросила руку, в которой был зажат шприц.

Иголка воткнулась в шею Дэна. Он почувствовал боль от укола, затем — прилив жара. Это наркотик, попав в кровь, стал разноситься по организму.

...Спустя несколько секунд Данила рухнул на пол.

Глава 3

Васко

Он смотрел на Сергеева и пораженно моргал.

— Что вы сказали? — переспросил он.

— Еще раз повторяю: эта женщина заходила в подъезд, в котором проживала ваша подруга

Виктория. Консьерж описал ее очень подробно. Также ее зафиксировала камера, что установлена на здании, в котором расположена ваша студия. Почему вы не сказали, что именно от нее получили флешку, на которой имелись фотографии мертвой Коко?

— Не думал, что это важно.

— Тогда что вас заставило изменить свое мнение? Сегодня-то вы мне об этом сказали!

Он пожал плечами.

Сергеев встретился с Васко, чтобы задать ему какие-то вопросы. В этот момент он находился в студии и рассматривал портрет «мехового стога».

— Это кто? — спросил Михаил, глянув на монитор.

— Одна клиентка. Мой ассистент Леша снимал ее на прошлой неделе. Кстати, он перепутал флешки и отдал ей свою, ту самую, которую я передал вам.

Вот так начался их диалог, а теперь он продолжился. После того как Васко рассказал оперу все, тот с упреком покачал головой: типа, и вы молчали обо всем этом? Как не стыдно!

— Распечатайте, пожалуйста, снимок, — велел Сергеев.

Васко так и сделал. Когда бумага с отображенным на ней портретом вылезла из принтера, опер взял ее в руки.

— Идеальная маскировка, — сказал Михаил, рассмотрев его. — Пушистая шуба, полностью скрывающая фигуру, нелепая шляпа, яркий макияж. Не поймешь, какая комплекция, волосы, черты лица — они погребены под слоем косметики. И особых примет не увидишь.

— Есть одна, — выпалил Васко.

— Если вы про родинку, — он ткнул в мушку над губой, — то она может быть фальшивой.

— Нет, я о размере ноги. Он очень большой для женщины. Сорок третий, не меньше.

— Но она, эта Ксения, будем так ее называть, сама женщина крупная?

— Да, высокая. Но я работал со многими моделями, у которых, как вы понимаете, рост немалый, и редкая носила обувь больше сорокового размера. У Ксении же нога просто огромная. Я, когда глянул на нее, подумал: как у мужика...

— Что вы сказали? — встрепенулся Михаил.

— С какого момента повторить?

— Как у мужика, да? Вы так сказали?

— Да. И что?

— А если это и есть мужик?

— Кто?

— Ксения. Которая, естественно, вовсе не Ксения. А Коля какой-нибудь... — И задумчиво покусав уголок фотографии, пробормотал: — Или Федор.

— Федор? Который убил мать Алисы? Вы ведь на него намекаете?

— Да.

— Нет, не похож.

— Почему же?

И правда — почему? Черты лица похожи, цвет глаз (хотя сейчас, конечно же, изменить их при помощи линз дело минутное), да еще характерная деталь — второй подбородок. И это при отсутствии щек. Бывают люди неполные, но имеющие второй подбородок. Васко с такими приходилось сталкиваться по работе. И чтоб снять их выигрышно, надо было держать камеру под определенным углом.

— Так почему? — повторил свой вопрос Сергеев.

— Я не могу объяснить, — вынужден был признать Васко. — В принципе, в Ксению мог превратиться любой: вы, я... и Федор. Одежда, макияж. На крайний случай — линзы, парик. Но я просто вижу — это не он. Не забывайте, я фотограф с многолетним стажем, и меня камуфляжем провести не так легко.

— Но это мужчина?

— Теперь я думаю, да. Голос грубоват. Лицо слишком заштукатурено тональником. Наверняка его нанесли так толсто специально, чтобы скрыть щетину. Опять же нога... — Он стал припоминать мелкие детали. — А еще теперь, постфактум, я понимаю, что она вела себя уж очень нарочито. Стреляла глазками, манерничала.

Тут у Сергеева зазвонил телефон.

— Коллеги, — бросил он, глянув на экран. Затем поднес сотовый к уху и стал разговаривать.

Васко, если бы прислушался, смог бы понять, что Михаилу сообщает коллега. Но он отвлекся на портрет Ксении. Теперь он не сомневался: под женской личиной — мужик. Но никак не мог разобраться, почему он кажется ему смутно знакомым. Когда видел его в реальной жизни, этого не замечал. Возможно, потому что считал «меховой стог» женщиной. А теперь...

— Это Федор! — услышал Васко голос Михаила.

— Что?

— Убийца Виктории и Сюзанны, не говоря уже о Марии.

— А это кто?

— Последняя жертва.

— В полицию поступил анонимный звонок. Некто сказал, что знает адрес, по которому проживает разыскиваемый органами правопорядка (цитирую дословно) Федор Колесников. Наши ребята сейчас съездили по нему. В квартире найдена куча улик...

— Например?

— Фотоаппарат, заполненный снимками, наркотик, шприцы, остатки металла, из которого, скорее всего, были сделаны те крепления, что удерживали голову и руки Виктории в надлежащем положении.

— Какая недальновидность с его стороны. Неужели он так был уверен в своей безнаказанности?

— Именно.

— Это очень странно...

— Как раз нет. Это нормально, если учесть тот факт, что Федор вознамерился покончить с собой.

— Откуда вы знаете?

— Он написал предсмертную записку. В ней что-то там о звере, живущем внутри него, и невозможности с ним бороться. Думаю, в полицию он сам и позвонил.

— А труп там же?

— Нет, по всей видимости, он выбрал для самоубийства не тот способ, что применял, умертвляя своих жертв. Как я думаю, у него просто кончился наркотик. Мария погибла от передозировки героином самого низкого качества. Себя он таким бы убивать не стал — от него страшные глюки. Думаю, он с крыши сбросится или с камнем на шее бросится в реку. Так что вскоре труп найдется.

— Что ж... Не могу сказать, что мне его жаль.

— Да если бы все эти твари поступали подобно ему, я был бы счастлив! В смысле, сами себя лишали бы жизни. А то суди их, потом содержи в тюрьмах, которые и так переполнены. Зря его когда-то из петли вынули. Дали бы сдохнуть — сейчас четверо человек бы выжило.

— Четверо? — переспросил Васко и мысленно загнул три пальца: Коко, Виктория, Мария. Кого он еще имел в виду? Не Алисину же мать?!

— Он еще кого-то убил. И только после этого решил умертвить себя.

— Кого?

— Не знаю. Но именно последнее преступление спровоцировало его на самоубийство. В посмертной записке Федор написал об этом. Коллега зачитал мне ее. Лаконичная, но очень поэтичная она получилась. Жертв своих Федор мысленно поставил под гроб, в который уложил себя. Именно они, держа его на плечах, внесут грешника в ад.

И тут в голове Васко как будто что-то щелкнуло.

Гроб.

Четыре человека, несущие его.

Один из них он, Васко. Второй Оскар. Они под изголовьем.

Двое сзади.

В гробу Виктория. В последний путь они провожают именно ее.

Четверо крепких мужчин легко справляются с ношей. Но один из них постоянно дергает плечом, и гроб качается. Васко не выдержал, спросил, что с ним. Тот сказал, что в подростковом возрасте получил травму, и она, бывает, его беспокоит. Выражается это не в боли, а в тике — его плечо непроизвольно дергается.

...Как у Ксении! Васко сразу заметил это. Но подумал, что это она так жеманничает, поводя плечиком.

Когда Васко вспомнил об этом, ему стало ясно, кого «меховой стог» напоминает.

Пазл сложился!

— Я знаю, кто это! — выпалил он, указав на портрет, который Сергеев все еще держал в руках. — И это не Федор!

Глава 4

Алиса

Она бесцельно ходила по квартире. Туда-сюда, туда-сюда.

Спальня, гостиная, кухня. Спальня, гостиная, кухня.

Туда-сюда. Туда-сюда...

Наконец решила сменить маршрут и завернуть в санузел. Сев на унитаз, Алиса взяла книгу, лежащую на полочке для туалетной бумаги — над бумагой, на рулонах. Глеб очень любил литературу, любую: научную, художественную, историческую, религиозную (изучил и Библию, и Коран, и Талмуд), но времени на чтение не хватало. Увы. Пробовал слушать аудиокниги — в московских пробках они для многих спасение, — но не пошло. Ему нравилось воспринимать текст сначала глазами, а не ушами, а уж потом мозгом, сердцем и, как он сам говорил, пятками. Когда какое-то произведение трогало его, их покалывало. Еще Глеб питал слабость к книгам настоящим, печатным. Имея планшет, он не закачивал в него литературные произведения. Книги покупал в обычных магазинах. Зачастую — букинистических. И получал кайф даже от их запаха. Раскрывал их при любой возможности. А в собственном туалете — всегда.

Ни разу Алиса, заходя в него, не находила «бумажно-книжную» полку пустой.

Сейчас на ней обнаружился весьма объемный том. Взяв его, Алиса прочла название литературного труда: «Викторианская эпоха». История. Именно то, что Глеба привлекает больше всего. А особенно — английская. Алиса отлично знала, что Виктория правила Великобританией в девятнадцатом веке. Пожалуй, она являлась единственной моделью, которая обладала подобным знанием. Спасибо за это Глебу — просветил.

Он вообще влиял на нее исключительно положительно!

Алиса открыла книгу. Пролистала. Читать не хотелось, но фотографии рассматривать было интересно. Дойдя до серии снимков, под которыми имелась надпись «посмертные», Алиса вздрогнула. И тут то же самое! Хотела захлопнуть книгу, но что-то ее удержало.

Взяв ее под мышку, она отправилась в комнату и легла на диван. Пристроив книгу рядом, стала внимательно рассматривать фотографии. Их было восемь. Три портрета — мужской, женский и детский, — остальные снимки групповые. На последнем в ряд стояло пятеро детишек. Все нарядные, но невеселые. Только одна девочка едва заметно улыбалась. И смотрела куда-то в сторону, чуть запрокинув голову. Именно она была мертвой. И чтобы она не упала, двое ребят, что стояли перед ней и за, крепко держали покойницу. Фотография была жуткая. Впрочем, как и остальные. Алиса не могла без содрогания на них смотреть. Тогда как те люди, что запечатлевали своих мертвых родственников, вешали подобные снимки на стены. Для них они были памятными. Например, импозантный господин с портрета не имел ни одной прижизненной фотографии. Пришлось его запечатлевать посмертно. В любимом кресле. И чтобы он выглядел как живой, сидел ровно, сын покойника прятался за спинкой и поддерживал его за шею. Обо всем этом Алиса прочла в главе, которую снимки сопровождали.

— Все, хватит с меня! — пробормотала она, захлопнув книгу.

Затем включила телевизор и стала смотреть дурацкую комедию положений. Однако сосредоточиться на фильме не смогла. Посмертные фотографии Викторианской эпохи ей не давали покоя. Она постоянно мысленно возвращалась к ним и пересматривала...

Они беспокоили ее. Но не своей жутью. Теперь она точно это знала.

Алиса встала и снова начала ходить туда-сюда, туда-сюда.

То, что у Глеба обнаружилась эта книга, не казалось Алисе странным. Викторианской эпохой он интересовался очень. Найди она эту книгу у кого-то другого, могла бы заподозрить неладное. Портрет импозантного господина несколько похож на фото Коко. А Сью чем-то напомнила девочку, которую держали с двух сторон брат с сестрой...

Зазвонил телефон. Алиса вздрогнула.

Нервы ни к черту! Пора лечиться. Вот прилетят они с Глебом на Бали (она решила именно туда отправиться), она сразу пойдет к местному целителю, чтобы привел ее нервную систему в порядок.

Хотя там, у океана, она, возможно, сама по себе стабилизируется.

Алиса взяла сотовый в руки, посмотрела на экран. Надеялась, что звонит Глеб. Но то был ее стилист-парикмахер Стасик. Она пропустила поход к нему. Алиса не стала отвечать. Дождалась, когда Стасик перестанет звонить, и набрала номер Глеба. Он оказался выключенным.

Алиса, не зная, чем заняться, подошла к шкафу, в котором была выставлена коллекция фарфора, и стала ее рассматривать. Это, конечно, не рыбки, а чашки, и они не умиротворят, но глаз порадуют. Она особенно любила одну чайную пару. Ничем на первый взгляд не примечательную: белый фарфор, по краям блюдца и чашки розовые цветочки. Но оба эти предмета были так изящны, тонки, легки, почти невесомы, что кажется, будто их изготовили эльфы, а не люди. Алиса открыла дверку шкафа, взяла чашку, поднесла к свету. Просвечивает! Как и должно...

Она решила попить чаю. И налить ее в эту самую чашку. Взяв ее, а заодно и блюдце, отправилась в кухню, но тут телефон издал короткий сигнал — это пришло сообщение. Глеб появился в сети, подумала она, но, когда глянула на экран, поняла, что ошиблась. Сообщение пришло от Дэна. Пустое! Алиса хотела его проигнорировать, но тут вспомнила, что утром уже проделала это с его звонком, и устыдилась. Некрасиво так поступать с человеком, который к тебе расположен. Да она, если уж начистоту, была к нему не так равнодушна, как показывала. Данила нравился ей. И именно поэтому она соблюдала дистанцию. Боялась увлечься. Нет, Глебу она ни за что не изменит. Но будет думать о другом мужчине, а это тоже нехорошо, пусть и не так аморально, как адюльтер.

Алиса вместо того, чтобы писать ответное сообщение, позвонила. Гудки: один, второй, третий... Она уже хотела отключиться, как они прекратились. Но голоса она не услышала, только тишину.

— Алло. Дэн? — Какой-то звук, похожий на стон. Или это помехи на линии? — Эй, привет! Ты чего молчишь? — Алиса посмотрела на экран. На нем отображались бегущие секунды. Значит, связь не прервана.

— Помоги, — донесся до слуха Алисы тихий хрип.

— Дэн, что случилось? Где ты?

— Умираю... Помоги.

И все. Больше она не смогла добиться от него ни слова. Все ее вопросы остались без ответа. Пришлось отключиться.

Алиса принялась лихорадочно соображать, что ей делать. Ясно, что Дэн в беде. Но как ему помочь? Как спасти его, если не знаешь, где он находится? Она набрала Глеба. Опять «абонент не абонент». Чертыхнувшись, Алиса позвонила Элене. Та, выслушав ее сбивчивый рассказ, тут же скомандовала:

— Успокойся.

— Да не могу я! — возопила она.

— Ты должна позвонить Сергееву или Вернику. Но это могу сделать и я, если ты все еще не в себе.

— Я не в себе, черт возьми! Он там где-то умирает. И я ничего не могу сделать. Так же, как и Сергеев с Верником. Москва огромна, он может быть где угодно. Как полицейские его найдут?!

— Обычно, по телефону. Запеленгуют его, и все. Отключаюсь, чтоб набрать Мишу. Не истери. Все будет хорошо.

И отсоединилась. А Алиса снова начала ходить туда-сюда, туда-сюда.

Как говорила ее бабушка — дурная голова ногам покоя не давала.

В третий раз оказавшись в кухне, Алиса вспомнила, что хотела выпить чаю. Но желание пропало. И она достала из холодильника мартини. Его оставалось немного, но ей хватит. Вылив вермут в стакан, она залпом его выпила. Безо льда и воды, разбавляющей сладость.

Мартини подействовал сразу. Стало тепло в желудке и на сердце спокойнее.

Элена сказала, что все будет хорошо, это внушало уверенность.

Вернувшись в гостиную, Алиса взяла чашку, чтобы вернуть ее на место. Водружая ее на блюдце, она заметила то, на что до этого не обращала внимания. А именно то, что средняя полка в три раза толще верхней и нижней. Дизайнерская придумка? Но шкаф типовой. Недешевый, как все вещи в квартире Глеба, но не эксклюзивный. В таких обычно все полки одинаковы. Значит, эту, толстую, изготовили отдельно и заменили ею уже имеющуюся. Алиса уже видела подобное в одном доме. Там хозяин таким образом маскировал сейф. Неужели у Глеба тоже он есть?

Алиса несколько минут изучала полку, пока не нашла внизу нее два крючочка. Они были так тонки, что она едва их нащупала. Отодвинув их, Алиса услышала щелчок — ящик, находящийся внутри полки, раскрылся.

...Она думала найти там деньги. Акции. Золото. Возможно — коллекцию каких-нибудь раритетных вещей. Или даже бриллиантов...

Но только не подборку фотографий.

Посмертные снимки разных людей. Их множество. И все разные. Есть старые черно-белые с желтыми разводами — такие остаются, если закрепитель плохо смыть. Есть цветные, но тоже не современные. На них в основном известные люди, артисты, спортсмены, снятые во время панихиды в своих гробах. А есть и совсем «свежие».

Коко, Сью...

Они смотрят мертвыми глазами в объектив и едва заметно улыбаются, как та девочка Викторианской эпохи, которую родственники решили запечатлеть, чтобы о ней осталась память...

— Мне очень жаль, — услышала Алиса голос за своей спиной. — Не думал я, что ты когда-то это увидишь... И надеялся, что никогда не узнаешь.

Алиса посмотрела в зеркало, что было приделано к внутренней стенке шкафа. В нем отражался Глеб. Она не слышала, как он вошел. И не видела этого, так как была поглощена фотографиями.

— До нашего счастья было рукой подать, — с грустью проговорил Глеб, — но ты все испортила. Мы бы уехали ночью на край света и прожили там до старости...

— Я уже поняла, что убийца Коко и Сью именно ты, но не могу взять в толк, зачем ты лишил их жизни?

— Они мне мешали.

— Чем?

— Тем, что были рядом с тобой. А я не хочу тебя с кем-то делить.

— Но ты же был в Мюнхене, когда погибла Коко?!

— Нет, я уже месяц не летаю за границу. Большой куш я сорвал еще в прошлом году... — Глеб подался вперед. Алиса думала, он хочет применить насилие, ударить, вколоть наркотик, задушить, а он тянулся к ее лицу, чтобы погладить его. Но она не позволила — увернулась. — Я безумно тебя люблю, Алиса. Ты свет мой. Ты жизнь моя. Без тебя я существовал, как какая-нибудь амеба. Когда появилась ты, все обрело смысл...

— Глеб, ты понимаешь, что говоришь? Получается, я виновна в том, что ты стал убийцей.

— Именно, — кивнул он. — Если б не ты, я ни за что не решился бы на преступление. Так и собирал бы эти фотки, — он кивнул на стопку, что Алиса все еще держала в руках, — не сделав тех, что отвечали бы моему вкусу. Меня с детства привлекали подобные снимки. Есть в них что-то запредельное. Подростком я часами просиживал над фотографиями мертвой бабки и ее сестер. Их было трое, все умерли одна за одной, и тетка моя, та самая, что ближе матери, всех фотографировала — тогда часто снимали во время похорон. Мои ровесники изучали «Плейбои», мастурбировали над ними, а я всматривался в посмертные фотографии и пытался постичь тайны ее величества смерти.

— Та книга в туалете? Ты не читаешь ее, а любуешься на фотографии?

— Да. Но не считай меня извращенцем. Никаких сексуальных фантазий у меня нет. Меня просто завораживают подобные кадры. Только мне всегда казалось, что в них не хватает красоты. Даже в тех, викторианских. Хотя люди того времени очень старались, делая их. Ты представь, сколько времени матери приходилось держать на своих руках мертвого ребенка, чтобы получился хороший кадр? Это сейчас фото мгновенно, тогда процесс переноса изображения на линзу занимал время.

Глеб, как всегда, был очень многословен. Если его не прервать, он будет часами говорить о том, что его так занимает. Но Алису интересовало другое:

— А та девушка, на пустыре, ее тоже ты?

— Нет, что ты! В этой смерти нет эстетики. Ее убил дядя Федя. Он же чудовище. Насмотрелся на фотографии в желтой прессе и не смог удержать своего демона. Даже иконы, которыми он свой дом увешал, в этом не помогли...

— Фото в редакции ты отправил?

— Да. И Оскару с Васко. Мне хотелось, чтоб мои работы оценили.

— А как ты попал в подъезд Коко незамеченным?

— У меня был отличный камуфляж. Я рядился в женщину с ужасным вкусом.

— Она сама тебя пустила в квартиру?

— Да, хотя я мог бы и сам войти, я сделал дубликат тех ключей, что она дала тебе. Я позвонил ей с телефонного автомата и сказал, что хочу сделать тебе предложение, но думаю, как лучше все обставить. Просил совета. Она позвала меня к себе, чтобы все обсудить. Кстати, в тот день она собиралась тебе сообщить о том, что у нее есть внук.

— За моей спиной ходил именно ты?

— Я. Не успел покинуть квартиру вовремя. Увлекся съемкой. И время пролетело незаметно.

— А Сью? Как ты ее заманил в студию?

— Твоя так называемая подруга мне проходу не давала. Чуть ли не в ширинку лезла. Я просто назначил ей свидание. Ради него она отказалась от поездки со своим парнем в Питер. Кстати, выставить его убийцей я не планировал. Это был экспромт. А вот когда я узнал про дядю Федора... О, я понял, что козлом отпущения должен стать именно он. Сегодня я умертвил его, заставив предварительно написать предсмертную записку. Потом подбросил в его квартиру улики и сделал анонимный звонок в полицию.

— Но откуда ты узнал, где он живет?

— Ты не поверишь. Но мы знакомы...

— Я теперь могу поверить во все, что угодно, — прошептала Алиса. Она уже несколько раз щипала себя за бок, думая, что спит и видит кошмар. Но нет — он происходил наяву!

— В день, когда я убил Викторию, дядя Федор крутился возле ее подъезда. Но это ты знаешь, не стоит напоминать, да? Так вот когда я покинул подъезд, то столкнулся с ним снова. Туда шел — он. Обратно иду — тоже он. И улыбается еще, как давнему знакомому. Попросил закурить. Я сказал (сказала, если точнее, я же был в образе безвкусной тетки), что не курю. И ключ от машины достаю из кармана. Купил нелегально российскую раздолбайку, чтоб на своей не светиться. Он попросил подвезти хотя бы до метро. Но нам по пути оказалось, и я доставил мужика до дома. О том, в какой квартире он живет, я узнал, когда он ткнул в окно с ужасными занавесками в ромашку. На подоконнике кот сидел. Федор указал на него и сообщил, что зовут усатого-полосатого Иудой, поскольку за кусок рыбы он продаст любого. Он, приняв меня за женщину, пригласил к себе на чай. Когда я отказался, стал телефон выпрашивать. Чтобы не давать свой, я взял его. Как чувствовал, что пригодится...

— Глеб, ты сумасшедший, — выдохнула Алиса. Только этим она могла все объяснить.

— Нет, я вполне нормален, — возразил Глеб. — Просто не похож на большинство. Я глубокий, увлекающийся человек, готовый к экспромту, риску и, что немаловажно, анализу. Я все рассчитал. Осечек не должно было быть.

— Но они произошли. Я нашла твой тайник и...

— И?

— И Дэн выжил.

— Что? — Лицо Глеба вытянулось.

— Значит, я угадала. Именно ты хотел убить его.

— Я убил его, — упрямо проговорил Глеб.

— За что?

— Он тоже мешал мне. Как Коко и Сью. Но в отличие от них он еще и представлял опасность. Дэн — мужчина. Очень красивый. Он мог увести тебя у меня. Я не хотел этого допускать. К тому же в моей коллекции не хватало мужского портрета. Видела бы ты, как красиво я обставил его смерть. Он лежит сейчас в заброшенном здании. С гримом на лице. В красном берете. Он — умерший мим, лицо которого и при жизни было грустно, а после смерти не изменилось...

— Он жив! Слышишь меня? Жив! Он звонил мне, и я отправила в то здание, где ты его оставил, полицейских.

— Быть такого не может! Я вколол ему смертельную дозу.

— Не забывай, что Дэн мужчина. Высокий, крупный, физически сильный. Чтобы его умертвить, нужно немного больше того, что ты вогнал в вены худеньких женщин, одна из которых еще и была пожилой.

— Нет, дело не в этом. Просто последнюю партию наркотика я купил у другого дилера. И он, как видно, подсунул мне дерьмо.

— Значит, дядя Федор тоже может быть жив!

— Плохо, — сказал Глеб спокойно. — Выходит, времени у нас меньше, чем я думал.

— Ты убить меня хочешь? Что ж, давай... Еще одна фотография в твоей коллекции появится.

— Ты разве забыла, что я говорил недавно? Ты — моя жизнь. Если я умертвлю тебя, то и сам погибну.

— Тогда я не понимаю...

— Мы уедем. Как и планировали. Только не к океану, как ты хотела. По крайней мере, не сейчас. Придется передвигаться на машине. Потому что в самолет тебя, спящую, не пустят. Я вколю тебе немного снотворного. Затем перенесу в авто, и мы поедем сначала к тебе домой, чтобы взять паспорт, затем — в Питер или Минск, я еще не решил. Мы пересечем границу России, а там сориентируемся, в какую из стран лучше двигать. Если ты думаешь, что меня задержат на первом посту, то ошибаешься. Дэн не понял, кто его пытался убить. Моя маскировка не подвела. Он не узнал меня.

— Рано или поздно снотворное перестанет действовать, и я проснусь.

— Ничего, у меня его много. Вколю тебе еще дозу. Потом разбавлю усыпляющее средство каким-нибудь другим. Сейчас так широк выбор всевозможных психотропов, галлюциногенов, релаксантов.

— Но ты не можешь держать меня на препаратах вечно.

— Если понадобится, я сделаю это. Главное, чтоб ты была со мной. Остальное — не особо важно. Да, я предпочел бы иной вариант. Тот, что запланировал. Но по большому счету... — Он вздохнул. — Алиса, ты же знаешь, что не являешься интеллектуалкой. Поговорить с тобой особо не о чем. Ты обычно слушаешь и киваешь. Находясь под препаратом, ты будешь делать то же самое. В сексе ты тоже не особо активна. У меня порой возникает ощущение, что я занимаюсь любовью со спящей. Так что и тут особой разницы не увижу.

— За что же ты полюбил... тупое бревно?

— Это необъяснимо. Сам пытался анализировать. Думаю, за красоту. И внешнюю, и внутреннюю. Ты сногсшибательная и добрая. Не гнилая, как большинство красоток. В тебе есть свет, которого так не хватает мне. Я под маской доброжелательности скрываю и гордыню, и жестокость, и презрение к людям. Все смертные грехи, что есть, я собрал в себе. Я даже крал, хоть ты об этом и не знаешь. Обирал своих клиентов. И прелюбодействовал, так как в качестве сексуальной партнерши ты меня никогда не устраивала. Я лгал. Чревоугодничал. Убивал! Я большой грешник, Алиса. А ты — мое спасение.

— Я не буду спасать тебя, — покачала головой Алиса. — Лучше умру. Чтоб сдох и ты. Ведь я твоя жизнь. Ты сам сказал.

— Ничего ты с собой не сделаешь. Потому что смерти боишься. Ведь это так, признайся? А еще я стану делать тебе волшебные укольчики. И находясь под их действием, тебе будет все очень нравиться. Потому что, по сути, ты в настоящем раю окажешься. Я поселю тебя в прекрасном месте, в отличном доме, буду заботиться о тебе и любить, как никто другой. Что еще надо женщине для счастья?

— Знать, что рядом с ней достойный человек.

— Ты считаешь таковым, к примеру, Гитлера?

— Нет.

— А тем не менее у него была любящая жена Ева Браун.

— Не замечала за тобой ранее мании величия. Сравнивая себя с Адольфом, ты проявляешь ее.

— Я привел наглядный и очень яркий пример, только и всего. Да, я хотел уберечь тебя от правды. Я говорил тебе это. Но что поделать, если она выплыла?

— Явиться в полицию с повинной.

— С так называемыми органами правопорядка у меня проблем не будет. Вычислить меня им не удастся. Но даже если произойдет чудо и следствие выйдет на мой след... он, след этот, давно простынет. Я буду проживать далеко отсюда и, если надо, под новым именем. — Глеб, заметив, что Алиса изменила положение тела, цокнул языком. — Не надо дергаться, милая. Не порть все. Лучше сядь и позволь мне сделать тебе укольчик...

— Нет!

— Я же все равно тебя усыплю. По-плохому или по-хорошему, но...

Она не дала ему договорить. Выбросила вперед ладонь и долбанула ею по его носу. Тут же пнула в пах ногой и напоследок ввинтила локоть в спину согнувшегося от боли Глеба...

Проделала все то, чему ее научил Дэн.

Сразу после этого кинулась к двери.

Позади слышался хрип. Глеб не потерял сознание, как она ожидала. Он всего лишь на время потерял способность двигаться. Обернувшись, Алиса увидела: Глеб распрямляется и делает пару неуверенных шагов в ее направлении.

Успею, мысленно вопит она, кидаясь к двери.

Вот и она! Рука тянется к замку, поворачивает его...

Осталось распахнуть дверь, выбежать в подъезд и с криком «Пожар» промчаться по лестничному проему.

— Тебе почти удалось, — услышала она за спиной жаркий шепот. Затем почувствовала на своей ноге стальную хватку. Это Глеб, передвигаясь на карачках, догнал ее и схватил за щиколотку.

Алиса упала.

Прямо у двери...

Глеб прав, ей почти удалось.

Вдруг в темную прихожую ворвался свет. Он ослепил Алису. Сощурившись, она подняла голову и увидела перед собой мужчину. Он стоял на пороге, держась за ручку двери, которую только что распахнул.

Кошмар продолжался! Перед Алисой был дядя Федор, убийца ее матери.

— Ничего не бойся, девочка, — сказал он. После чего выхватил из-за спины огромный нож и метнул его в Глеба.

Острие угодило ему в шею. Из нее тут же брызнула кровь. Хрипя, Глеб схватился за рукоятку и вырвал нож. Как будто его могло это спасти. Через несколько секунд он упал лицом в растекшуюся под ним алую кровяную лужу...

Плохим получится посмертный снимок, подумала Алиса. А затем услышала голос Федора:

— Перед тобой вину искупил. Хоть что-то хорошее сделал.

— Как вы тут оказались?

— Следил за ним, — он мотнул головой в сторону Глеба.

— Но как вы умудрились не просто выжить, а остаться в сознании?

— Я же химик. Причем отличный. А еще — бывший зэк. Я знаю многое о наркотиках, а еще о том, как снимать их действие. Этим на жизнь и зарабатывал, откинувшись. — Дядя Федор стал дышать с шумом, как будто ему воздуха не хватало. — Вколол себе кое-что, чтоб очухаться, и успел не упустить из виду твоего жениха. Средство быстродействующее, но убойное. Сердце посадить может. — Он поморщился. — Вообще я уже давно должен был бы быть мертвым. У меня оно слабое, а дозу я удвоил. Но я должен был тебя спасти...

После этого он осел на пол и закатил глаза.

Эпилог

Семь месяцев спустя...

Алиса вышла из университета и направилась к парковке. На ней стояла ее маленькая красная машинка. Ее она купила три месяца назад. Сразу после того, как сдала на права. Элена, увидев «эту каракатицу», именно так она выразилась, фыркнула. Она считала, что такая сногсшибательная женщина, как Алиса, должна ездить на чем-то поприличнее, а если принять во внимание ее немалый рост, то и погабаритнее.

— Могла хотя бы «Фольксваген Гольф» купить, — сказала она. — А лучше — «Ауди-А6». Но я лично посадила бы тебя только за руль «Порше Кайена».

— Она начинающий водитель, — возразил матери Оскар. — Зачем ей такая крутая тачка? А вот насчет «Гольфа» я согласен. И солидно, и относительно компактно, и не так уж дорого.

— Лучше подержанного «Мерседеса» не придумаешь, — высказал свое мнение Васко. — Я, кстати, свой продаю. Могу тебе уступить со скидкой.

Алиса отказалась тогда. И советов ничьих не послушала, продолжила ездить на своей малолитражке.

А Васко «Мерседес» продал Элене. Она приобрела его для своего парня, Михаила Сергеева. Новую тачку он бы в подарок не принял. А про эту она наврала. Сказала, что та досталась почти даром. Сумма, потраченная на «Мерс», даже под овальную не попадет.

Васко, между прочим, продал не только его, но и свою студию. На вырученные деньги приобрел виллу в Хорватии, куда намеревался переехать на ПМЖ. Оскар обещал его навещать, но нечасто. У него с недавних пор появилось новое детище — интернет-портал. Закрыв «Модистку», он стал воплощать свои креативные идеи в Интернете. Деньги на создание и раскрутку сайта дала Элена. Помогал ему Леша. Он успел жениться и вскоре ждал пополнения в семье. А вот Оскар так и оставался холостяком. Зато с удовольствием нянчился с дочкой Сергеева Верой.

...Алиса подошла к машине и достала из кармана ключ от нее. Сделать это было трудно, так как в руках были книги, целая стопка, и она едва не выронила их.

— Позволь, я помогу тебе? — услышала Алиса мужской голос.

Повернувшись на него, она увидела мужчину в классическом сером костюме от Хьюго Босса. Под ним — белая в голубую полосу рубашка, две верхние пуговицы не застегнуты, что придает образу немного расхлябанный вид. Волосы подстрижены коротко, но челка чуть взъерошена. Еще полгода назад прическа у Дэна была иной.

— Привет, — поздоровалась с ним Алиса.

— Здравствуй. — Он подошел к ней, взял книги. — Отлично выглядишь. — И оценивающе окинув взглядом ее фигуру, добавил: — Поправилась.

— Ты очень тактичен, — фыркнула Алиса.

Она на самом деле набрала десять кило и чувствовала себя неуклюжим бегемотиком. Нужно было заставить себя сесть на диету и возобновить походы в спортзал.

— Тебе невероятно идет, — заверил ее Дэн. — К тому же ты ненормальная модель, сама говорила, и...

— Уже не модель.

— Да, теперь ты студентка. — Он положил книги на сиденье авто. — Кстати, на кого учишься?

— На биолога-эколога.

Дэн присвистнул.

— Ты тут какими судьбами? — спросила у него Алиса.

— Приехал, чтобы повидаться с тобой. Мне Элена сказала, где тебя можно найти.

— Твоя? — Она указала на большую черную машину, от которой Дэн отошел, направляясь в сторону Алисы.

— Моя.

— Классная тачка.

— Всегда о такой мечтал.

— Ты купил ее, продав квартиру Коко?

— Нет, ее я оставил для себя.

— Значит, проблем с завещанием не возникло?

— Нет. Как нотариус и обещал. Я уже вступил в права наследства, переехал. Ремонт пока не делал и не знаю, надо ли. Мне нравится викторианская гостиная, я только стул выкинул.

— Мать не возражала?

— Нет. Она сейчас в состоянии эйфории и все мои решения принимает с благосклонностью. Дело в том, что у нее роман. И знаешь, с кем?

— Знаю. С Васко. Мне Элена сказала. Это ты их познакомил?

— Да. Она с ним в Хорватию уезжает.

— Здорово.

— Да. Она мечтала жить на море.

— А ты, судя по всему, — в квартире Коко.

— Она всегда мне нравилась.

— Неудивительно: отличная планировка, добротный дом, центр города.

— Энергетика, — покачал головой Дэн. — В квартире до сих пор чувствуется незримое присутствие Виктории.

Тем временем к Данилиной машине подошла девушка. Прислонившись к ней, закурила.

— Твоя подруга? — спросила у Дэна Алиса.

— Впервые ее вижу.

— Тогда почему она...

— Увидела дорогую тачку, решила познакомиться с владельцем. Я, когда возил большого человека на еще более солидной машине, постоянно с этим сталкивался. Сейчас подождет, подождет, а потом телефон оставит свой.

— Каким образом?

— Напишет на листочке и сунет под дворник. А вообще часто пишут прямо на машине. Но это — если она пыльная. Я же только с мойки.

— Кстати, откуда у тебя деньги на такой дорогой автомобиль, если ты не продал квартиру Коко?

— Я его в кредит взял. На два года. Но планирую расплатиться в начале следующего.

— У тебя так хорошо идут дела?

— Лучше не придумаешь.

— И чем ты сейчас занимаешься?

— Не поверишь... Модельным бизнесом.

— Отчего же? Поверю.

— Ты скрывалась от меня больше полугода. Почему?

— Не только от тебя. Ото всех.

— Я постоянно просил Элену дать мне твой новый номер или подсказать, где тебя можно найти. Но она только сегодня удовлетворила мою просьбу.

— Мне нужно было побыть наедине с собой. Я даже с ней связывалась крайне редко. Лишь затем, чтоб сообщить, что жива, и узнать, как ее дела. Виделись мы с ней вообще один раз. Я приезжала к ней в гости на день рождения.

— Где ты пропадала все это время? По каким странам тебя носило?

— Я находилась здесь, в России, все лето и сентябрь. А весну провела на Бали. Когда вернулась, записалась в автошколу, сменила жилье и начала готовиться к поступлению в вуз.

— Как ты? — просто спросил он.

— По-разному. Бывает, что хорошо.

— Встречаешься с кем?

Алиса покачала головой.

— А хотела бы?

— Да пока не с кем, — улыбнулась она.

— Со мной.

— Не знаю, Дэн, готова ли я.

— Да я тебя не тороплю. Давай просто посидим где-нибудь.

— В кофейне?

— Она закрылась. Теперь на ее месте японский ресторан.

— С удовольствием съела бы суши.

— Тогда поехали! Тем более что осада с моей машины снята.

— Да, девушка ушла, сунув записку под дворник. А что делать с моей, как выражается Элена, каракатицей? Ехать на ней за тобой или оставить тут?

— Оставить тут. Я хочу прокатить тебя на своей крутой тачке, детка. Возможно, после этого ты дашь мне свой телефон.

И оттопырил локоть, предлагая Алисе взять его под руку. Она сделала это, и они, болтая о всякой ерунде, направились к джипу Дэна.

Содержание

Литературно-художественное издание

НЕТ ЗАПРЕТНЫХ ТЕМ
Остросюжетные романы О. Володарской

Володарская Ольга

ДЕФИЛЕ НАД ПРОПАСТЬЮ

Ответственный редактор *Е. Антонова*
Редактор *М. Красавина*
Художественный редактор *Р. Фахрутдинов*
Технический редактор *И. Гришина*
Компьютерная верстка *М. Белов*
Корректор *З. Харитонова*

В коллаже на обложке использована фотография:
Gromovataya / Shutterstock.com
Используется по лицензии от Shutterstock.com

ООО «Издательство «Эксмо»
123308, Москва, ул. Зорге, д. 1. Тел. 8 (495) 411-68-86, 8 (495) 956-39-21.
Home page: **www.eksmo.ru**   E-mail: **info@eksmo.ru**

Өндіруші: «ЭКСМО» АҚБ Баспасы, 123308, Мәскеу, Ресей, Зорге көшесі, 1 үй.
Тел. 8 (495) 411-68-86, 8 (495) 956-39-21
Home page: www.eksmo.ru   E-mail: info@eksmo.ru.
Тауар белгісі: «Эксмо»
Қазақстан Республикасында дистрибьютор және өнім бойынша
арыз-талаптарды қабылдаушының
өкілі «РДЦ-Алматы» ЖШС, Алматы қ., Домбровский көш., 3«а», литер Б, офис 1.
Тел.: 8 (727) 2 51 59 89,90,91,92, факс: 8 (727) 251 58 12 вн. 107; E-mail: RDC-Almaty@eksmo.kz
Өнімнің жарамдылық мерзімі шектелмеген.
Сертификация туралы ақпарат сайтта: www.eksmo.ru/certification

Сведения о подтверждении соответствия издания согласно
законодательству РФ о техническом регулировании можно
получить по адресу: http://eksmo.ru/certification/

Өндірген мемлекет: Ресей
Сертификация қарастырылмаған

Подписано в печать 25.02.2015. Формат 84х108 $^1/_{32}$.
Гарнитура «Балтика». Печать офсетная. Усл. печ. л. 16,8.
Тираж 9 000 экз. Заказ 6034.

Отпечатано с электронных носителей издательства.
ОАО "Тверской полиграфический комбинат". 170024, г. Тверь, пр-т Ленина, 5.
Телефон: (4822) 44-52-03, 44-50-34, Телефон/факс: (4822)44-42-15
Home page - www.tverpk.ru Электронная почта (E-mail) - sales@tverpk.ru

ISBN 978-5-699-79283-2

9 785699 792832

16+

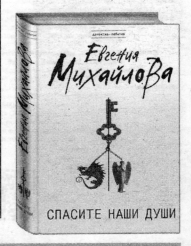